DEN ALLVARSAMMA LEKEN

HJALMAR SÖDERBERG

Den allvarsamma leken

ALBERT BONNIERS FÖRLAG

www.alskapocket.se

ISBN 978-91-7429-575-7
© Hjalmar Söderbergs rättsinnehavare 1912
Första utgåva 1912
© Albert Bonniers Förlag
ScandBook UAB, Litauen 2016

FÖRORD

Man kan bli tvungen att "skrifva sig fri", ursäktade sig Hjalmar Söderberg inför Maria von Platen – verklighetens förlaga till *Den allvarsamma leken*s Lydia Stille, en litteraturintresserad skånsk adelskvinna som Söderberg hade en utomäktenskaplig affär med under tre-fyra år i början av nittonhundratalet. Maria von Platen hade samtidigt förhållanden med andra litteratörer som John Landqvist och Gustaf Hellström. Men hon hade integritet, brände breven när affären med Söderberg var över och beklagade det faktum att hon gick till historien som Lydia Stille. En författare väljer inte sina ämnen, försvarade sig Hjalmar Söderberg. En förevändning som kunde varit direkt hämtad ur *Den allvarsamma leken*, med sitt budskap om tillvarons grymma förutbestämdhet. "Man *väljer* inte sitt öde. Och man väljer lika litet sin hustru eller sin älskarinna eller sina barn" heter det i en av romanens nyckelrepliker.

Maria von Platen fick betala ett högt pris. Hon lämnade sin elvaåriga son hos den åldrande maken när hon övergav familjen för Stockholm. Hennes identitet och historia blev känd för allmänheten i en doktorsavhandling om Hjalmar Söderberg utgiven 1962. När studien uppmärksammades i Svenska Dagbladet brännmärktes Maria von Platen till en adlig femme fatale, "den erotiskt beslutsamma typ av överklassflickor som förr i världen satte en ära i att samla poetskalper kring sin midja". Inte mycket hade förändrats sedan Bo Bergman i sin ofta citerade anmälan av *Den allvarsamma leken* i Dagens Nyheter 1912 beskrev romanen som "Historien om en man som får sitt lif sönderbrutet af lidelsen för ett litet kvinnligt rofdjur". Det är en tolkning av den kvinnliga huvudpersonen som har begränsad täckning i romanen, med sin suggestiva skildring av kärleken som ödesbestämd: "man väljer inte", upprepar Arvid Stjärnblom.

Den allvarsamma leken är ett sent bidrag till fin de siècle-litteraturen, den som framhäver och fixerar det håglösa och handlingsfattiga i den nyligen urbaniserade sekelskifteskaraktären; en livshållning som Hjalmar Söderberg alltså själv kunde inta. Men i romanen skjuter han fram Arvid som främsta representant för den åskådningen – en från Värmland nyinflyttad journalist som står rådvill inför moderniteten i huvudstaden, klämd mellan kvarlevande borgerlig konvenans och ny kvinnoroll på offensiven. Han är inte tillräckligt ekonomiskt självständig för att kunna gifta sig med den kvinna han förälskat sig i, inte tillräckligt stark för att stå emot när dottern till en förmögen byggmästare förför honom. I yrkeslivet avancerar Stjärnblom oväntat snabbt. Han blir operakritiker över natt efter att ha blivit påkommen med att vissla Beethoven inför sin chefredaktör. Genom tidningen får han skjuts mot "en mer central punkt av tillvaron", en position han inte skulle förmå erövra utan journalistrollen som språngbräda.

Han framstår som väldigt nutida. En förlaga till den vilsna medelklassman i mediemiljö som befolkar samtids-litteraturen idag. I yrkeslivet betalar sig anpassligheten. I äktenskapet går det sämre. Söderberg låter honom kom-pensera sin brist på äkta lidelse med spelad passion, han gör "kärlekens gärningar, dess apspel och pantomim". En isande gestaltning av en klassresenärs sista försök till självbehärskning: "…han hade nu en gång den medfödda ärelystnaden att försöka göra det bästa av allt, också av de glädjesmulor livet bjöd honom – på det sättet gick det till, att han i vissa stunder och ögonblick till och med lyckades övertyga sig själv om att han älskade Dagmar".

Den samtida kritiken var inte lika övertygad om det progressiva i Arvid Stjärnbloms ynklighet. Fredrik Böök – i romanen gycklad med som "docenten Löök" – avfärdade *Den allvarsamma leken* som resultatet av en just passerad trend: "urmodigt, nattståndet, underligt ointressant". Men de brister Böök såg i den gestaltade sekelskiftesstämningen, det håglösa i gestalterna, det splittrade i kompositionen, det förutbestämda i relatio-nerna, har på ett paradoxalt sätt blivit romanens salt, det som bidragit till dess hållbarhet. De svarsromaner som riktas mot Hjalmar Söderberg – Gun-Britt Sundströms, Bengt Ohlsons, Kerstin Ekmans – bär syn för sägen. En läsare av *Den allvarsamma leken* eggas snart till reak-

9

tion, plötsligt känner man ett sug efter att slå en kil i det otäckt förutbestämda, i den molande oundviklighet som är Hjalmar Söderbergs erotiska tragedi.

Och inte har Söderbergs tema, otroheten, affären mellan Arvid och Lydia förlorat i laddning. Jag läser om *Den allvarsamma leken* samma år som hovet avannonserar en prinsessförlovning på grund av en offentliggjord otrohetsnatt. Jag har romanen färsk i minnet när jag vandrar genom ett Stockholm tapetserat med affischer från ett företag som erbjuder sig att administrera din otrohet: "Vill du träffa någon som förstår dig?". Annonser som resulterat i fler anmälningar till Reklamombudsmannen än någon annan kampanj under stiftelsens korta historia. Avskyn mot utskriven otrohet, mot spekulation i otrohet, har litet att göra med praktiken. Enligt Folkhälsoinstitutet har 38 procent av de svenska männen och 23 procent av kvinnorna haft sex utanför sambo- eller äktenskapet.

Men "osedligheten" i romanen bidrog förstås till kritikens avståndstagande – en bok som "i oblyghet överträffar [---] antagligen allt hvad som hittills, offentligen åtminstone, utgifvits på svenska" bedömde Sydsvenskans anmälare. I denna "en mans könshistoria" kunde läsaren svart på vitt ta in resultatet av kampen för lika könsrättigheter:

Man har framställt kraf på att samma moral bör gälla för mannen som för kvinnan, och det har sitt berättigande, men nu tycks man ha vändt om satsen så, att samma brist på sexuell moral, som i så många fall utmärkt mannen, äfven bör gälla för kvinnan: lika rättigheter istället för lika skyldigheter.

Men romanen frikänner knappast Arvid och Lydia, lika litet som romanen moraliskt dömer dem. Hjalmar Söderberg åstadkommer något mycket värre, han väcker den känsla av programmerad katastrof som är otrohetens skrämmande och lockande berusning. *Den allvarsamma leken* har under ett sekel mognat till ett slags otrohetsmatris, till det moderna vänsterprasslets litterära urkund.

Björn af Kleen

I

– – – "Jag tål inte den tanken,
att någon går och väntar på mig"…

Lydia brukade bada ensam.

Hon tyckte bäst om det så, och denna sommaren hade hon för resten ingen att bada med. Och hon behövde inte vara rädd: hennes far satt där uppe på bergknallen ett stycke ifrån och målade på sitt "motiv från hafsbandet" och höll öga med att ingen obehörig kom för nära.

Hon steg ut i vattnet, tills det nådde henne till litet över midjan. Där blev hon stående med upplyfta armar och händerna knäppta bakom nacken, tills ringarna i vattnet slätats ut, och speglade sina aderton år i vågen.

Så böjde hon sig framöver och simmade ut på det smaragdklara djupet. Hon njöt av att känna vattnet bära sig – hon kände sig så lätt. Hon simmade lugnt och tyst. Hon såg inga abborrar i dag; annars brukade hon leka litet med dem ibland. En gång hade hon varit så nära att fånga en med handen, att hon stack sig på hans ryggfena.

Väl i land igen for hon hastigt över kroppen med handduken och lät sedan torka sig torr av solen och den lätta sommarbrisen. Så sträckte hon ut sig på en flat strandhäll, som vågorna slipat blank. Först lade hon sig på magen och lät solen bränna på ryggen. Hon var redan alldeles brun över hela kroppen – lika brun som i ansiktet.

Och hon lät tankarna löpa. Hon tänkte på, att det snart var middag. De skulle ha bräckt skinka och spenat. Och det var nog gott – men det kunde nu inte hjälpas, middagen var i alla fall den tråkigaste stunden på dagen. Fadern sade just inte många ord, och bror Otto satt tyst och tvär. Han hade ju också sina bekymmer, Otto. Det var så trångt på ingenjörsbanan här hemma, och i höst skulle han fara till Amerika. Den enda, som brukade prata vid bordet, var Filip. Men han sade aldrig något, som hon iddes höra på – det var mest bara om prejudikat och juristknep och befordringar och sådan strunt, som ingen människa kunde bry sig om. Det var som om han pratade bara för att någon skulle säga något. Och under tiden letade han med sina närsynta ögon efter de bästa bitarna på fatet.

Och ändå höll hon ju så mycket av både fadern och bröderna. Så underligt – att det kunde vara så tråkigt att sitta vid ett dukat bord med sina närmaste, som hon höll så mycket av – – –

Hon vände sig på rygg och låg med händerna under nacken och stirrade upp i det blå.

Och hon tänkte: Blå himmel, vita skyar. Blått och vitt – blått och vitt – – – Jag har en blå klänning med vita spetsar. Det är min finaste klänning, men det är ändå inte därför jag tycker så mycket om den. Det är för en annan orsaks skull. För det var den klänningen jag hade på *den* gången.

Den gången.

Och hon tänkte vidare: Älskar han mig? Jo, jo. Visst gör han det.

Men älskar han mig riktigt – *riktigt* –?

Hon mindes en gång för inte så länge sen – en kväll de sutto i syrenbersån ensamma. Han hade plötsligt försökt en djärv smekning, som gjorde henne rädd. Men han hade visst själv strax förstått att han var på orätt väg, ty han hade tagit hennes hand, den hand, som hon värjde sig med, och kysst den som om han velat säga: förlåt.

Jo, tänkte hon, han älskar mig säkert riktigt.

Och hon tänkte vidare: Jag älskar honom. Jag älskar honom.

Hon tänkte så starkt, att hennes läppar rörde sig med hennes tankar och tanken blev en viskning: jag älskar honom.

Blått och vitt – blått och vitt – – – Och vattenplask – plask – plask –

Plötsligt kom hon i tankar om, att hon först denna sommar hade upptäckt hur skönt det var att bada ensam. Hon undrade hur det kunde komma sig. Men skönt var det. Annars, när flickor bada tillsammans, måste de ju alltid skrika och skratta och föra liv. Men det är mycket skönare att vara ensam och alldeles tyst och bara lyssna till vattnets plask mot stenhällarna.

Men medan hon klädde på sig, gnolade hon på en visa:

En gång i bredd med mig
prästen skall fråga dig,
om du vill vara min
utvalda vän.

Men orden sjöng hon inte, utan gnolade bara melodien.

*

Artisten Stille hyrde sedan urminnes tider var sommar
samma rödmålade fiskarstuga långt ute i skärgården.
Han målade tallar. Det hade på sin tid blivit sagt om
honom, att han upptäckt skärgårdstallen, liksom Edvard
Bergh hade upptäckt den uppsvenska björkhagen. Han
tog helst sina tallar i sol efter regn, då stammarna lyste
av fukt i solskenet. Men han behövde varken regnväder
eller solsken för att måla dem så: han kunde det utantill.
Han försmådde inte heller att låta kvällssolen brinna i
röda reflexer på den tunna, ljusröda barken mot trädets
topp och i det knotiga, vridna grenverket. Han hade fått
medalj i Paris på sextiotalet. Hans mest berömda tall
hängde i Luxembourggalleriet, och han hade också ett
par på Nationalmuseum. Nu – mot slutet av nittitalet –
var han ett bra stycke över de sextio och hade med åren
kommit litet i bakgrunden i den växande konkurrensen.
Men han arbetade segt och flitigt som han gjort i hela

sitt mödosamma liv, och han förstod sig också på att sälja sina tallar.

– Att måla är ingen konst, brukade han säga, det kunde jag för fyrtio år sen lika bra som nu. Men att sälja, det är en konst som det tar tid att lära sig.

Hemligheten var enkel nog: han sålde billigt. Och så hade han dragit sig fram skapligt nog med hustru och tre barn och gjort gud och var man rätt. Nu var han änkling sedan ett par år. Liten, senig och knotig och med fläckar av frisk, rödlätt hy skymtande fram här och där genom det mossiga skägget, liknade han själv en gammal skärgårdstall.

Måleriet var hans yrke; men hans kärlek var musiken. Det var en tid, då han hade roat sig med att göra fioler och drömt om att komma glömda hemligheter i violintillverkningen på spåren. Det var länge sen. Men med pipsnuggan i mungipan gned han gärna sin fiol vid skärgårdsfolkets dans om lördagskvällarna.

Och han var förtjust, när han fick sjunga andra bas i kvartetter. Därför var han vid gott lynne denna dag vid middagsbordet.

– Det blir sång i kväll, sade han. Baronen har telefonerat att han kommer över med Stjärnblom och Lovén.

Baronen hade en liten egendom snett över viken och var närmaste granne, bland herrskapsfolk räknat. Kandidat Stjärnblom och notarien Lovén voro hans gäster.

Lydia steg hastigt upp och gjorde sig ärende ut i köket. Hon kände sig så het i kinderna.

– Jag sjunger inte med, muckade Filip.

– Så låt bli då, morrade fadern.

Saken var den att det var ett litet fel med kvartetten: den hade två första tenorer. Gubben Stille var ännu alltjämt en präktig andra bas. Baronen påstod sig kunna sjunga vilken stämma som helst "lika briljant uselt", men hade stannat för första bas. Stjärnblom sjöng andra tenor. Men äran och ansvaret som första tenorer delades av Filip och Lovén. Filips tenor var liten och späd och ren; avgjort lyrisk. Lovén åter hade en kolossal tenor, i vars mäktiga tonsvall Filip hjälplöst drunknade. Han påstods ha varit erbjuden engagemang vid Operan. Likväl kände Filip med stolthet sin oumbärlighet när det gällde subtilare saker, ty hans rival hade blott två strängar på sin lyra: forte och fortissimo. Dessutom hade notarien Lovén en fiende i sitt passionerade sångartemperament: när lidelsen fick makt med honom, sjöng han falskt eller gjorde en tupp.

Otto bröt tystnaden vid bordet.

– Asch, sade han, du sjunger med i alla fall. En tenor, som kan hålla käften, när han hör andra sjunga, har man aldrig hört talas om.

– Du kan ju sjunga i det som ligger för din röst, medlade fadern.

Filip satt lite purken och petade i sin spenat. Han tänkte, att han möjligen kunde låta beveka sig att sjunga i "Warum bist du so ferne", kanske också "Kornmodsglansen". Han mindes när de förra gången sjöngo "Warum". Lovén brakade lös, men så med ens knackade baronen av med stämgaffeln mot punschbrickan och sade: Håll käften, Lovén, och låt Filip sjunga det här, för det *kan han!* Och han mindes hur smältande fint och vackert han hade sjungit den gången.

Lydia återtog sin plats vid bordet.

– Jag fick lov att höra efter vad vi ha att komma med till kvällen, sade hon. Det blir skinkan om igen och strömming och sill och potatis och Ottos abborrar. Det är allt vad som finns.

– Och brännvin och öl och punsch och konjak, kompletterade Otto.

– Ja, vad behövs det mer, sade gubben Stille. Det är ju härliga guds gåvor alltsammans.

*

Augustisolen lutade redan mot sin nedgång, då baronens lilla segelsnipa stack fram bakom udden. Vinden hade mojnat. Seglen hängde slappa, och man hade tagit till årorna. Då båten närmade sig bryggan, firades seglen, roddaren vilade på årorna, baronen gav ton med stämgaffeln, och medan snipan sakta vaggades av dyningen från den vida fjärden togo de tre männen i båten upp en Bellmanstrio:

Böljan sig mindre rör,
Æol mindre viner,
när han från stranden hör
våra mandoliner.
Månan han skiner.
Vattnet glittrar lugnt och kallt.
Syren, jasminer
sprida vällukt överallt.
Fjäriln i guld och grönt
glimmar på blomman skönt,
masken snart krälar ur sitt grus,
masken snart krälar ur sitt grus.

Sången klingade rent och vackert ut över vattnet. Två gamla fiskare, som lågo med en sump och lade ut långrev, vilade från sitt arbete och lyssnade.

– Bravo, ropade gubben Stille från bryggan.

– Åja, det där gör du inte illa, Lovén, sade baronen, utom det där med "masken krä-ä-älar". Det ligger bättre för Filip. Men goddag på er allihop! Goddag, lilla tjyvgubben, har du någon konjak? Visky har vi med oss. Goddag, lilla fina, vackra, söta, mum-mum – baronen ledsagade var artighet med en ridderlig fingerkyss – fröken Lydia! Goddag på er, pojkar!

Baron Freutiger var en brunbränd och väderbiten teaterrövare med ett svart Nebukadnezarskägg. Han hade inte så långt kvar till de femtio, men han hade bevarat sin ungdom genom att taga livet lätt. Sorger och bekymmer fastnade inte på honom. Han hade annars varit med om åtskilligt, och själv brukade han säga, att bland det jäkligaste han varit ute för var en gång då han blev hängd för häststöld i Arizona. Och det var sant, att han i sin ungdom hade varit familjens olycksfågel och prövat lyckans växlingar i många trakter av världen. Han kunde många konster. Han hade givit ut en samling reseskildringar, vilkas friska och älskvärda lögnaktighet hade förskaffat honom ett litterärt namn, och han komponerade valser som dansades på hovbalerna. Sedan han för en del år sedan fått ett arv, hade han köpt en liten egendom i skärgården, där han under jordbruket som skylt fördrev tiden med jakt på sjöfågel och flickor. Men han hade också politiska intressen. Vid senaste valet hade han varit liberal riksdagsmannakandidat och skulle kanske ha blivit vald, om han blott hade insett vikten av att markera en något klarare ståndpunkt i nykterhetsfrågan.

I bländande vit flanelldress och med en gammal smutsig stråhatt av obestämd form på huvudet hoppade han upp på bryggan och samlade kvartetten omkring sig. Notarien Lovén i tullen, en ståtlig karl, blond och rödlätt, lite fet och lite dockvacker, ställde sig i position och slungade ut ett par höjdtoner på försök. Kandidat Stjärnblom, en bredaxlad ung värmlänning med ett par skygga, djupa ögon, höll sig mera i bakgrunden. Gubben Stille och Filip slöto till, baronen gav ton, och under "Sångarfanan åter höjes" tågade man upp till Röda stugan, där det glimmade av flaskor och glas mellan den lilla verandans humlerankor.

Det skymde mer och mer, och på den bleka norrhimmeln blänkte redan augustikvällarnas ljusa stjärna, Capella.

Lydia stod vid verandaräcket. Hon hade mest hela kvällen gått av och an mellan köket och verandan och sysslat med "pytsar" – det var hennes gemensamma namn på flaskor och glas och allt som hörde till hushållet. Hon var ensam om serveringen – Augusta, deras gamla jungfru, som de haft i tolv år, fräste som ett hett strykjärn var gång det var främmande och visade sig av princip inte.

Och nu var Lydia litet trött.

Sång efter sång hade klingat i den stilla kvällen, interfolierad av små meningsskiljaktigheter mellan tenorerna, som åter bilagts vid klangen av glas, fyllda med tre slags läskande spritdrycker. Nu sutto sångarna bänkade i stilla frid på verandan. Lydia stod och såg ut i den grånande skymningen, hon hörde på männens samtal och hörde det likväl knappt, hennes ögon hade blivit stora av tårar och hon kände det med ens så tungt om hjärtat. Hennes älskade tycktes henne alltid så långt borta, då hon såg honom samman med andra män. Och likväl satt han där knappt tre steg ifrån henne.

Hon hörde faderns röst:

– Har du varit på utställningen, Freutiger?

Det var den stora utställningssommaren 1897.

– Ja, jag tittade in där ett tag i går, eftersom jag var i stan. Och efter gammal vana – jag har ju sett minst hundra kolossala världsexpositioner – frågade jag strax jag kom in: var är magdansen? Fanns ingen magdans! Jag höll på att svimma. Så ramlade jag in i konstutställningen. Apropå, har du något där?

– Inte fan. Jag utställer aldrig. Jag säljer ändå. Men jag var inne och tittade på't i förra veckan. Och nog fanns där att se på. Där var en dansk, som hade målat en sol som man faktiskt inte kunde se på, utan att det sved i ögonen. Duktigt gjort! Men det kan inte fan följa med och lära sig alla moderna tjyvknep. Jag är gammal. Skål, Lovén! Du dricker ingenting, Stjärnblom, skål! En gång på åttitalet började jag känna mig så djävligt omodern och fick lust att följa med min tid. Solskenet var inte på modet längre, och mina tallar började man bli trött på. Då smockade jag ihop en "Uthuslänga i ruskväder". Jag var lömsk på att sälja den till Fürstenberg eller Göteborgs museum. Men har ni sett på fan: den hamnade i Nationalmuseum, och där sitter den ännu. Då var jag nöjd och gick tillbaka till mitt gamla. Tja!

– Skål, lilla tjyvgubbe, sade Freutiger. Du och jag, vi ha sett till botten i världsskojet. Lovén kan bara se åt höjden, eftersom han är tenor. Och Stjärnblom är för ung. Ungt folk ser bara sig själva och betraktar oss äldre som staffage i tavlan. Eller hur, Arvid?

Lydia spratt till vid namnet. Arvid… Hur kunde någon annan få kalla honom så?

– Skål! svarade Stjärnblom.

– Gaska upp dig, gosse, fortfor baronen. Sitter du och

längtar hem till dina berg i Värmland?

– Där finns inga berg att tala om, sade Stjärnblom.

– Ja, hur skall jag kunna veta det, sade Freutiger. Jag har varit överallt utom i Sverige. Och med Värmland har jag aldrig haft något annat att göra än att min farmor var kär i Geijer i sin ungdom. Men han gav henne tusan. Saken var den, att Geijer åkte skridsko med min farmor på en sjö i Värmland – finns det inte en sjö som heter Fryken? Jo, då var det alltså på Fryken – en gång i början av innevarande århundrade. Låt oss säga 1813, eftersom det var en kall vinter det året. Så råkade min farmor sätta en rova på isen, så att Geijer fick se hennes ben. Och de voro mycket tjockare och stabbigare än han hade tänkt sig. Så slocknade den lågan! Men min farfar, som var brukspatron och en praktisk karl och inte någon estetflabb, tog henne i stället. Och det är orsaken till att jag heter Freutiger och alls finns till och sitter här och njuter av naturens skönhet. Dja!

Notarien Lovén hade en stund visat synbara tecken till oro. Han hostade och harklade. Plötsligt reste han sig och började sjunga en aria ur "Mignon". Hans sköna stämma klingade fulltonigt och med en vekare klang än annars: Hon kunde icke tro – i barnslig oskuldslycka – att tacksamhetens glöd – blev *kärlek* inom kort – – –

Lydia hade gått ned på sandplanen nedanför verandan och stod och plockade blad av en berberisbuske och skrynklade dem mellan fingrarna. Kandidat Stjärnblom hade rest sig och stod nu vid verandaräcket, där hon nyss hade stått. Lydia gick långsamt nedåt trädgårdsgången. Det var redan mörkt mellan häckarna. Hon stannade vid ingången till syrenbersån. Hon hörde herr Lovéns röst: Kom, o vår, att med din färgprakt hennes kinder måla – och hjä-hjärta du – – –

Ja, där blev det förstås en liten tupp på höga B.

Hon hörde steg i sanden.

Hon kände de stegen. Hon visste gott vem det var. Och hon gömde sig i bersån.

En låg röst:

– Lydia – – –?

– Miau! lät det inifrån bersån.

Men med detsamma ångrade hon sig och tyckte det var så dumt av henne att jama som en katt och förstod inte alls varför hon hade gjort det. Och hon sträckte armarna emot honom: Arvid – Arvid – – –

De möttes i en lång kyss.

Och då kyssen inte kunde räcka längre, sade han lågt:

– Bryr du dig något om mig?

Hon gömde sitt huvud vid hans bröst och teg.

Efter en stund sade hon:

– Ser du den stjärnan där?

– Ja.

– Är det aftonstjärnan?

– Nej, det kan det inte vara, svarade han. Aftonstjärnan går till sängs med solen den här tiden. Det är visst Capella.

– Capella. Ett så vackert namn.

– Ja, det är vackert. Men det betyder bara Geten. Och varför den stjärnan heter Geten vet jag inte. Jag vet egentligen ingenting.

De stodo tysta. Långt borta hördes kornknarren.

Han sade:

– Hur kommer det sig att du bryr dig om mig?

Hon gömde åter huvudet vid hans bröst och teg.

– Tyckte du inte Lovén sjöng vackert nyss? frågade han.

– Jo-o, svarade hon. Han har vacker röst.

– Och var inte Freutiger rolig?

– Jo. Det är lustigt att höra på honom. Och det är visst för resten inget ont i honom.

– Nej, tvärtom...

De stodo tätt samman och vaggade och sågo upp mot stjärnorna.

Så sade han:

– Men det är för dig Lovén gör sina tuppar, när känslan överväldigar honom, och det är för dig Freutiger sitter och ljuger. De äro kära i dig bägge två. Nu vet du det. Så att du kan välja.

Han skrattade till. Och så kysste hon hans panna. Och litet efter viskade hon, halvt för sig själv:

– Den som ändå kunde veta, vad det finns där innanför...

– Där finns nog ingenting märkvärdigt, svarade han. Och man har för resten inte alltid gott av att veta...

Hon svarade med ögonen djupt i hans:

– Jag *tror* på dig. Och det är mig nog. Och bara det

att du skall vara i Stockholm i vinter, så att vi få ses och träffas ibland, bara det är mig nog. Är det vid Norra Latin, du skall gå provår?

– Ja, svarade han, jag skall väl det. Lärare tänker jag naturligtvis inte bli. Det är *för* tröstlöst. Men när jag nu har min filosofie kandidat, så kan jag ju gärna gå provåret. Och sen blir jag väl extralärare tills vidare – medan jag väntar.

– Ja, väntar ... på vad?

– Jag vet inte. Kanske på ingenting alls. På att jag skall kunna göra något som duger – vad det nu skall bli... Nej, lärare vill jag inte bli. Jag kan inte tänka mig det som en framtid – som *min* framtid.

– Ja, sade hon, framtiden – vad vet man om den...

De stodo länge tysta under de tysta stjärnorna.

Så sade hon, i det hon kom att tänka på något han hade sagt på verandan bland de andra:

– Finns det inte höga berg borta i ditt Värmland? Det trodde jag.

– Ånej, sade han, där finns högre berg än här, men några riktiga berg finns där inte. Och jag tycker inte om berg – jo, jag tycker om att gå upp på dem, men inte att leva inklämd mellan dem. Man talar om berglandskap – det borde förr heta dallandskap. Man bor och lever nere i dalen, inte på bergtopparna. Och bergen skymma för solen som höga hus i en gränd, så att det i min hemtrakt mest hela eftermiddagen är en iskall blåskymning. Det är bara en kort stund mitt på dagen det är riktigt vackert där: det är när solen står i söder eller litet tidigare, mitt i Klarälvens floddal; då kommer det vackert ljus över allt det vackra, då ser man söderut, ut i solen och ljuset i älvdalens öppna vidd, och tänker: där borta är världen.

Lydia hörde halvt förstrött på hans ord. Hon hörde "solskenet" och "där borta är världen". Och hon hörde kornknarren i åkern.

– Ja, världen, sade hon, världen... Tror du, Arvid, att du och jag skulle kunna göra oss en liten värld för oss själva?

Han svarade, i sin tur halvt borta och förströdd:

– Vi får väl försöka.

Nu hördes plötsligt baronens röst från verandan:

– Sångare! Sång-a-re! Helan går! Helan går!

Hon lindade sina armar om hans hals och viskade tätt i hans öra:

– Jag tror på dig. Jag *tror* på dig. Och jag kan *vänta*.

Och åter hördes Freutiger:

– Sång-a-re!

På skilda trädgårdsgångar skyndade de upp mot verandan, så att de kommo dit från motsatta håll.

Lydia stod vid sitt öppna fönster och såg ut i sommarnatten med tårade ögon. Ute på fjärden såg hon i månskenet båten med de bortdragande sångarna. De vilade på årorna och sjöngo en serenad till hennes ära.

De sjöngo "Warum bist du so ferne". Notarien Lovéns tenor klingade skönt i den stilla natten. Baron Freutiger sjöng både första och andra bas på en gång, åtminstone trodde han det själv. Och i mellanstämman kunde hon följa sin älskades röst.

> *Warum bist du so ferne,*
> *O, mein Lieb!*
> *Es leuchten mild die Sterne,*
> *O, mein Lieb!*
> *Der Mond will schon sich neigen*
> *in seinen stillen Reigen.*
> *Gute Nacht, mein süsses Lieb.*
> *Gute Nacht, mein Lieb.*

Lydia sjönk ner på en stol och grät av lycka och trötthet. Plötsligt tog hon en liten gammalmodig buketthållare av förgyllt silver och med turkosblått porslinshandtag, som hängde på en nubb under den lilla spegeln, och vätte den med kyssar och tårar. Den hade varit hennes mors – modern hade burit sin brudbukett i den.

*

Sången hade tystnat och båten gled bort under jämna årtag. Lovén och Stjärnblom rodde var sin åra och Freutiger styrde. Och antingen det berodde på att alla tre voro kära i samma flicka eller på något annat: ingen sade ett ord.

Baronen såg dyster ut, där han satt vid rodret. Han satt och undrade över vad han hade sagt eller inte sagt. Hade han friat eller hade han inte? Vad flickan själv beträffar, hade han inte direkt friat till henne, bara dunkelt låtit henne ana, glimtvis, att hon var hans första verkliga kärlek. Men en stund vid eftergroggen hade han suttit ensam med gubben Stille, och därvid måtte han ha sagt något mera klart och avgörande, ty han erinrade sig tydligt att gubben Stille hade svarat: Du och Lydia? Giftas? Vet du inte hut, ditt gamla svin!

Notarien Lovén rodde sin högeråra och blickade mot stjärnorna. Han genomgick i minnet alla sånger han under kvällens lopp hade sjungit. Och han visste med sig själv att han hade sjungit så, att vilket hjärta som helst *måste* smälta. Visserligen hade han också ett par gånger gjort en tupp. Men i alla fall – i alla fall! Han ansåg sig kunna hoppas det bästa.

Kandidat Stjärnblom satt med slutna ögon och rodde sin vänsteråra. Han tänkte på något som Lydia hade sagt till honom i bersån. Hon hade sagt: jag *tror* på dig. Ja, herregud, det var ju mycket bra! Mycket glädjande och bra – om det bara hade stannat vid det... Men så hade hon sagt: jag kan *vänta*. Och det var inte bra – inte bra! Jag tål inte den tanken att någon går och väntar på mig. Att någon går och väntar sig något av mig. Skall jag ha den tanken ständigt över mig, då – blir det aldrig något av mig...

Och för resten, tänkte han, jag är tjugutvå år, hela livet

ligger ju framför mig. Att gå och binda sig nu – för hela livet! Nej, man måste akta sig för att bli fast. Man måste väl åtminstone leva en liten smula först.

Men på samma gång gick det en varm flodvåg genom hela hans varelse, då han mindes hennes kyssar. Och han undrade för sig själv om hon verkligen var en oskyldig flicka.

I sådana tankar satt kandidat Stjärnblom medan han med slutna ögon och sammanbitna tänder rodde sin vänsteråra i ett stilla, nattligt vatten, som speglade grantoppar och stjärnor.

* * *

En halvklar och gråstilla dag i början av oktober.

Arvid Stjärnblom gick en Djurgårdsväg fram – den, som kantad av almar med lutande svarta stammar löper längs stranden av den tysta Djurgårdsbrunnsviken, nedanför Skansens skrovliga bergknallar. Utställningsområdet hade han lämnat bakom sig.

Utställningen var stängd sedan några dagar. Han stannade ett ögonblick och såg tillbaka. "Gamla Stockholms" kulissmurar voro redan sönderflängda av regn och blåst, och var dag gick förödelsen fram över den vackra gångna sommarens brokiga sommarmarknadsstad. Men över alltsammans höjde sig ännu Industrihallens färgskimrande kupol med de fyra minareterna, och längst åt väster bröt solen just nu fram genom en bräsch i molnskikten, den stod helt lågt, i själva kanten av töckenkretsen över staden där borta, och sken med ett ljus som av gammalt bleknat silver med halvt bortnött förgyllning.

Arvid Stjärnblom gav solen och staden och utställningen en lång blick till "farväl, vi ses igen", och fortsatte sin väg.

Han hade nyligen börjat sitt provår vid Norra Latin, med "modersmålet" och "historia och geografi" som huvudämnen, och nästan samtidigt hade han genom en avlägsen släkting, Markel, fått plats som korrekturläsare och volontär vid en stor daglig tidning. Men han tänkte inte nu på något som hade samband med detta. Han gick och tänkte på Lydia.

Det gick aldrig ett dygn och sällan en timme av dygnets vakna stunder utan att hon då eller då steg upp i hans tanke. Och ofta tänkte han: detta måste visst vara *kärleken;* jag är rädd att det inte går för mindre... Men han hade bestämt sig för att inte söka upp henne i Stockholm, utan låta slumpen råda. De hade heller inte kommit överens om något bestämt sista kvällen de råkades där ute på Runmarö – ja, det var ju också sant, de visste inte då, att det var sista gången för sommaren... Men han tyckte inte att han kunde göra ett besök i hennes hem. Gubben Stille och bröderna betraktade honom naturligtvis bara som en vanlig sommarbekant och skulle kanske se litet förvånade ut, om han plötsligt dök upp i den lilla ateljévåningen på Söder. Det vore helt enkelt detsamma som att röja för dem, att "det var något" mellan Lydia och honom. Ty varken Filip eller Otto eller gubben skulle ett ögonblick inbilla sig att det var för deras skull han kom...

Nej– – –

En ekorre med pälsen redan litet höstruggig och gråsprängd kom plötsligt framdansande över vägen i små skutt, stannade, satte sig på baken och tittade på honom – nyfiket, spefullt och med en skygghet som föreföll honom litet beräknat kokett. Han stannade och såg in i det lilla djurets svarta pärlögon. Men det måste på något sätt ha oroat ekorren. Han försvann i en blink upp i ett träd, i en ilsnabb spiral kring stammen...

Arvid hade följt vägen förbi Sirishov fram till Rosendal och svängt åt höger. Där grenade många vägar ut sig, och han valde en på måfå.

– Nej, han kunde inte göra henne något besök. Borde han skriva till henne och be om ett möte någonstans, här på Djurgården till exempel? Det kunde inte gärna tagas som någon förolämpning – efter allt kyssandet i somras... Men – – –

Men det bjöd honom emot att skriva och be henne om något, då han ingenting hade att bjuda henne. Han var ju ingenting ännu – ingenting alls.

Arvid Stjärnblom var icke utan självkänsla; men han saknade självförtroende. Han betraktade sig icke som en misslyckad och värdelös företeelse, men han misströstade om sin förmåga att inom en överskådlig framtid bringa det värde, han möjligen ägde, fram i dagen. Och det värsta var, att han inte riktigt tordes lita på sina egna känslor. Han hade varit kär några gånger förut, och det hade gått över...

Nej, bäst att se tiden an. – Låta slumpen råda – – –

Han blev stående och ritade med käppen i vägens damm.

– Och vad skulle det för resten bli av det – vad kunde det bli? Giftermål kunde han ju alls inte ha en tanke på. Och – – – "förföra" henne?

Han vågade inte ens tänka på att försöka det. Om det lyckades, skulle han ju mista all aktning för henne. Och om det misslyckades, skulle han mista den sista smulan av aktning för sig själv.

– Men – – – men herregud, vad jag längtar efter henne! Efter att bara få träffa henne någon gång – se henne någon gång...

Ja, *sett* henne hade han ju verkligen en gång i höst. Det var den där kvällen, kungens regeringsjubileum, med illumination och fyrverkeri och en folkträngsel så att man knappt kunde röra sig. Han hade stått inklämd i folkmassan i hörnet av Nybroplan och Birgerjarlsgatan, då kortegen körde förbi med Europas vackraste kung – en nära sjuttioårig man – *stående* i sin vagn som en romersk triumfator... En gammal källarmästare med litet svagt huvud blev galen av anarkistskräck, då han såg det, och skrek: "Man mördar kungen, man mördar kungen!"... Ögonblicket efter hade han sett Lydias ansikte bara några steg från den fläck där han själv stod. Han stod så inklämd att han inte kunde röra en arm för att hälsa. Han måste nöja sig med att böja huvudet till hälsning – med hatten på! Han rodnade ännu, då han mindes det. – Men hon hade sett honom och böjt sitt huvud till svar.

Sedan hade de i trängseln drivits åt skilda håll.

Och hela kvällen, timmar igenom, hade han drivit omkring överallt på måfå, i hopp att träffa henne igen… Från kajen vid Strömgatan hade han sett små svarta skuggfigurer röra sig på taket till en av slottsflyglarna åt Strömmen. Det var kungen och de furstliga gästerna där-utifrån, som skulle se på fyrverkeriet. Det blev en plötslig rörelse i folkmassan omkring Arvid, han hörde någon säga att kungen *sjöng.* "Det är en aria ur Robert", inföll en annan. Och Arvid tyckte sig verkligen höra liksom harpor i luften.

Men Lydia såg han inte – – –

Det är underligt att jag aldrig ser henne, tänkte han. All den tid jag har ledig driver jag ju omkring på alla de gator och vägar, där jag kan tänka mig en möjlighet att träffa henne.

Han brukade verkligen nästan varje dag gå Västerlång-gatan fram och tillbaka ett par tre gånger. Hon bodde på Söder och måste väl ibland ha sina vägar åt norr. Och då borde hon ju antagligen gå Västerlånggatan. Ibland försökte han också med Stora Nygatan eller Skeppsbron. Men troligtvis gick hon just då Västerlånggatan.

Och det var en stor ovanlighet, att han som nu i dag gick och drev på Djurgården.

Han hade satt sig på en bänk.

Det var ännu ljust, där han satt. Inga stora träd i närheten, man kunde se att läsa, om så skulle vara.

Arvid Stjärblom erinrade sig plötsligt, att han hade ett par små böcker i rockfickan. Ett par små böcker, som han hade skaffat sig för ett bestämt syfte och som han alltså måste läsa. Han hade en kväll suttit tillsammans med några kamrater – unga extralärare och provkandidater – och de hade kommit att tala om religionsundervisningen. *23* Man var tämligen överens om det betänkliga i att all undervisning i moral var lagd på den kristna religionen som grund, alltså på en grund, som för så många, kanske för de allra flesta, sviktade och brast redan innan skoltidens slut. Man ville en ändring i detta, men hade svårt att komma till enighet om hur frågan bäst skulle lösas. Någon hade nämnt något om några religiöst neutrala läroböcker i moral, som redan nu begagnades vid undervisningen i de franska statsskolorna. Arvid hade gripits av en plötslig nyfikenhet att få se dessa läroböcker, han hade strax beslutat att skaffa sig dem, och just i dag hade de kommit från bokhandeln; det var dem han hade i fickan.

Vad ville han egentligen med dem? Han visste det knappt själv. Naturligtvis var det inte så, att han kände sig speciellt kallad att skriva en "lärobok i moral". Redan en sådan titel på en bok skulle ju dränka den i löje. Men i alla fall... I alla fall... Det föresvävade honom något om att det kanske här ändå fanns en uppgift att lösa... kanske en lucka att fylla... *Hur* den skulle lösas, den uppgiften, det visste han ännu inte, och ännu mindre visste han om just han var mannen att lösa den.

Himlen hade klarnat på den sista stunden och det föll en blek höstsol över en tom bänk mellan ett par svarta tallar. Han satte sig på bänken och läste.

Det var två böcker han hade fått, den ena för folkskolan (det syntes strax på den yttre utstyrseln), den andra för ett något högre skolstadium.

Han tog folkskoleboken först. "Manuel d'éducation morale, par A. Burdeau, Président de la Chambre des députés."

Arvid studsade. Kammarens talman! Den tredje rangspersonen i Frankrike! Högre än konseljpresidenten! Och han sätter sig ner och skriver en liten bok för alla små fattiga skolbarn i sitt stora land! Det var mer än imponerande; det var rörande.

Och han började.

"Mina barn, *den moraliska undervisningen* lär oss, huru vi nu och framdeles böra uppföra oss för att vara *hederliga människor och goda fransmän* i likhet med dem, som ha levat före oss."

– Mja. Hm. "I likhet med dem som ha levat före oss"...
Hm...?
Han bläddrade vidare.

"Vari består den okunniges största olycka? –
Den okunniges största olycka består däri, att
han icke förstår i huru hög grad hans ställ-
ning är beklagansvärd."

Hm!...

"Varför äro kunskaper värdefulla? – Kunska-
per äro värdefulla, emedan de göra det lättare
för oss att vara hederliga."

Hm?... Hm?...

"Finnes det något som är lika nyttigt för
människan som föda och kläder? – Det finnes
något som är lika nödvändigt för människan
som föda och kläder: det är *en moralisk
uppfostran.*"

Det började gå runt för Arvid. Det här var ju rena skojet!
Skulle herr A. Burdeau, deputeradekammarens talman
och Frankrikes tredje rangsperson, i verkligheten vara
en gammal skämtare? Eller var det verkligen möjligt
att något sådant kunde gå i franska skolpojkar? – Med

svenska skolpojkar skulle det aldrig i världen gå väl...
Nej, det är visst onödig tidsspillan att hålla på längre med
herr A. Burdeau. Han fyller troligtvis med all värdighet
sin uppgift som kammarens talman, men *det här* – det
har han tydligen inte en aning om hur det skall göras...
Och det har för resten inte jag heller...

Han bläddrade förströdd vidare, fann upplysningar
sådana som att läraren var en *ämbetsman* (med fetstil)
och representerade *staten*, uppmaningar till renlighet,
litet skällning på Napoleon III och andra kejsardömet,
och så vidare...

Tills han hamnade på sista sidan:

*1. Vilka människor älskar man av naturen? – I
första rummet sina föräldrar, därnäst dem som
vi känna och som ha varit goda mot oss.
2. Vilka älska vi utan att känna dem? – Vi
älska våra landsmän utan att känna dem.
3. Vilka böra vi ytterligare älska? – Vi böra
ytterligare älska alla människor, till och med
dem som icke äro fransmän.
4. Kunna vi älska tyskarna? – Vi kunna
icke tänka på att älska dem som ha sårat
Frankrike och som förtrycka fransmännen i
Elsass-Lothringen.
5. Vad böra vi göra åt den saken? – Vi måste
slita våra rövade bröder ifrån dem.
6. Böra vi, sedan vi befriat Elsass-Lothringen,*

gengälda tyskarna det onda de gjort oss? –
Visserligen icke; det skulle icke vara värdigt
fransmännen.
7. Vad äro nationerna sinsemellan? – Natio-
nerna äro sinsemellan likar.
8. Vad äro nationerna gent emot mänsklighe-
ten? – Liksom medborgarna äro medlemmar
av samma nation, äro nationerna medlem-
mar av mänskligheten.
9. Vari består Frankrikes ära? – Frankrikes
ära består i att det alltid har tänkt på alla
nationers bästa.

Och så till allra sist

"Vive l'Humanité Vive la France!"

Arvid blev sittande i tankar.

Nej, herr Burdeau, tänkte han, så där skall det inte
göras, så mycket är säkert. Då kan vi lika gärna behålla
den gamla katekesen. Men för resten vet jag varken ut
eller in.

I en svag solstrimma långt borta vid en krökning av
vägen såg han två människogestalter komma gående.
Trots avståndet kunde han strax se att det var en ung
flicka och en äldre man.

– Om det vore Lydia och hennes far, for det ilsnabbt
igenom honom…

Hjärtat bultade och han kände att han blev blodröd. Han tog instinktmässigt boken och höll den för ansiktet, men ögonen kunde inte låta bli att spana ut över kanten. Och inom en sekund hade han sett:

Det *var* Lydia. Men det var inte fadern hon gick med. Det var en annan äldre herre, ett par och femtio kunde han se ut till. Kort, gråsprängt skägg och i det hela vad man kallar ett distingerat yttre.

Han reste sig från bänken och hälsade, då de passerade förbi. Lydia böjde huvudet till svar, djupt, men utan att möta hans blick. Också den äldre herrn besvarade hans hälsning.

Han såg dem försvinna vid nästa krök av vägen.

Vid en förströdd blick i boken, som han ännu höll i handen, märkte han att han höll den upp och ner.

*

Arvid hade tagit den andra boken, den som var avsedd för ett något högre stadium, och bläddrade i den på måfå.

"Den moraliska lagen är densamma för alla, oberoende av klimat, ras, ålder, kön, intelligens; det är nog att vara en mänsklig varelse för att känna den: den är *allmängiltig* och *klar.* Dess bud sammanfattas i två ord: *Gör det goda, gör icke det onda;* och hela världen förstår dessa ord, ty samvetet säger oss alla ur djupet av vårt inre: *Detta är gott, detta är ont.*"

Arvid stoppade boken i fickan, där den andra låg förut, och gick inåt staden. Det började bli skumt.

Ett ögonblick stannade han på vägen: han hade glömt att se efter vad författaren hette. Han tog upp boken igen och läste på pärmen: Léopold Mabilleau, Docteur ès lettres, Directeur du Musée social.

Jag undrar, tänkte han, om herr Léopold Mabilleau är riktigt klok...

* *

Arvid Stjärnblom hade hyrt ett möblerat rum vid Dalagatan. Det var litet och tarvligt möblerat, men det hade en stor och fri utsikt åt väster över Sabbatsbergsområdet och gråstensbergen på Kungsholmen, där staden tog slut.

Efter en hastig, ensam middag på källaren S. H. T. kom han hem till sitt ensamma rum.

Han tände lampan, men rullade inte ner gardinen. Det var kallt i rummet. Han tände brasan, som värdinnan var morgon lade in i kakelugnen och som han tände själv på eftermiddagen för den korta stund han var hemma. – Vid niotiden skulle han till tidningen.

Han började skära upp en nyutkommen bok – det var Strindbergs "Inferno". Men han stannade snart i arbetet och satt tankspridd och lekte med papperskniven.

– – – Vem kunde den där äldre herrn vara – – –?

Någon gammal vän till familjen, någon som hon kalllade "farbror" och som hade mött henne av en tillfällighet och tvingat på henne sitt sällskap utan att fråga om lov...

Ja, efter all sannolikhet var det väl så – – – Efter all sannolikhet.

Men i alla fall... Han hade känt det så underligt. I bröstet.

Han ville slå bort det, tänka på annat.

Och han kom plötsligt att tänka på sitt namn. "Arvid Stjärnblom."

Han avskydde sitt namn. Han tyckte inte om förnamnet, emedan han råkade ha det gemensamt med landets mest avgudade tenor, och allt tenorväsen anses ju löjligt bland män. Och familjenamnet – "Stjärnblom"! Hur typiskt för denna massa av svenska medelklassens familjenamn, bildade av namn på naturföremål – oftast av namn på två naturföremål, som äro varandra så främmande som möjligt. "Nordkvist" – vad har ett väderstreck att göra med en kvist? "Söderlund." Ja, naturligtvis kan man tänka sig en relativt sydligt belägen lund, men om man händelsevis befinner sig söder om den, blir den en Nordlund! Och "Stjärnblom!" En stjärna och en blomma på *en* tallrik, det blir för mycket av det goda! Fy tusan!

– Men – – – men vem var den där distingerade äldre herrn?

...Men nu hade alltså hans far, den gamle jägmästaren där borta i Värmland, burit familjenamnet Stjärnblom i över sextio år utan att någonsin falla på den idén att det var något löjligt med det. Och hans far och farfar före honom. Och då får väl jag också hålla till godo med det. "Jag är ej bättre än mina fäder."

– – – Men hans farfars far hette inte Stjärnblom. Han hette Andersson. Och det var på den tiden inte något familjenamn utan betydde bara att han var son av en som hette Anders.

– Och allt vad jag vet om mitt ursprung, inskränker sig alltså till att jag vet, att min farfars far var son till en som hette Anders. Och det finns många som inte ens veta så mycket om sitt ursprung!

Plötsligt kom han att tänka på den spanska lågadelns titel, *hidalgo*, som betyder "son av någon".

Ja, tänkte han: det beror på var man befinner sig. I min hembygd är jag "son av någon"; av en visserligen ganska fattig men känd och aktad man. Men här är jag ingenting alls. Här kan i bästa fall min son bli *hidalgo*, om jag skulle få någon… Men jag får nog ingen. Innan jag kommer så långt att jag kan försvara att sätta barn i världen, är jag naturligtvis så gammal och illa medfaren att jag inte längre kan försvara det…

– Men *vem* var den distingerade äldre herrn – – –?

Ett ögonblick hade han tyckt sig känna igen honom, efter något porträtt i en tidning. Men han kunde inte reda ut det.

Han gick av och an i rummet. Två, tre steg fram – två, tre steg tillbaka. Större var inte rummet.

Han stannade framför en karta över norra Värmland, som hängde över soffan. Hans första åtgärd, då han flyttade in i rummet, hade varit att ta ner alla värdinnans rysliga tavlor. Själv hade han inga att sätta upp i stället. "Och det är ju tidens lösen" – mindes han att han mitt under proceduren hade tänkt, med ett leende – "riva ner, det kan man nog, men bygga upp?" – Nej: med bästa vilja skulle han inte kunna åstadkomma en "tavla", ens jämförlig med den sämsta av de uselheter han kastade i en skräpvrå. Men därför kunde han väl inte låta bli att se att det var smörja! Och så hade han satt upp sin Värmlandskarta, i brist på bättre.

För resten, där de andra "tavlorna" hade hängt, lät han de brunrosiga tapeterna, kvarglömda från något år på åttiotalet, tala för sig själva. Vad angick det egentligen honom hur det såg ut i ett rum, där han bara befann sig på genomresa?

Han stod och stirrade på kartan. Läste de hemkära och välbekanta namnen på orter och gårdar och berg. Stöllet, Dalby, Ransby, Gunneby, Långav, Likenäs, Transtrand, Branäsberget, Femtåberget...

Femtåberget. Han kom så väl ihåg det. Det stod som en stor blå skugga nästan rakt i söder från hans barndomshem. Jämfört med Chimborazzo kunde det knappast kallas ett berg. Men där det händelsevis låg kallades det ett berg och var det största berget i trakten. Och det hade en arkitektoniskt skön, som det föreföll välberäknad och meningsfull kontur, när man såg det från norr åt söder, med tre höjdpunkter, den mellersta högst. Han brukade under sina sommarlov från latingymnasiet i Karlstad

kalla de tre topparna: Progressus, Culmen, Regressus. –
"Uppåt – högst – nedåt !"

Men varför hette detta lilla berg Femtåberget? Hade
det, från något visst håll sett, kanske någon avlägsen
likhet med en fot med fem tår? – Inte alls. – Hade det
sitt namn efter ån, "Femtån", som rann utför dess västra
sluttning ned i Klarälven? – Inte kan väl ett berg få namn
efter en å, som rinner upp i någon liten källa på berget.
Tvärt om skulle det väl vara. – Ett namn kan säga så
mycket, och så litet...

"Lydia Stille." Så vackert det låter. Lydia Stille, Lydia
Sti – – –

Det ringde på tamburdörren. Han lyssnade... Ingen
gick och öppnade. Värdinnan var kanske inte hemma.

Han hade inte mycket lust att gå ut och öppna. Om det
är något viktigt, tänkte han, så ringer det väl en gång till.

Men det gick några sekunder, kanske en minut, och
det ringde inte. Då gick han ut och öppnade.

Där var ingen. Och ingenting i brevlådan.

– – – Åter satt han vid elden och rörde i glöden. Brasan
hade nästan brunnit ned.

Han satt och tänkte på gamla saker – på sista gym-
nasiståret i Karlstad. Och han mindes fru Kravatt, hon,
som den där vintern och våren strax före studentexamen
hade invigt honom i det stora mysteriet...

Fru Kravatt var en några och trettioårig vaktmästa-
ränka och stadens skickligaste kokfru. Hon lagade till
och med middagar hos landshövdingen, då det skulle slås

på stort. I sitt enskilda liv intresserade hon sig emellertid mycket litet för mat men var till gengäld utomordentligt begiven på kärlek. Han brukade gå och hälsa på henne om söndagsförmiddagarna, och ofta hände det också att han kilade upp till henne i ett frukostlov. Han var inte ensam om hennes ynnest: han delade den med fem eller sex av sina kamrater. Då han någon gång förde detta sorgliga missförhållande på tal, svarade hon, enkelt och okonstlat:

– Det som är gott är gott, och man är väl inte mer än människa!

Men hon hade också sinne för poesi, och det hände att hon plötsligt brast i störtande gråt, då han ur minnet läste någon dikt av Viktor Rydberg eller Fröding för henne i sängen.

Hon tog också betalt; men det var mest för formens och anständighetens skull. Taxan för gymnasister var två kronor. Men då kontanter saknades, gav hon utan minsta svårighet kredit. I verkligheten gjorde hon det goda för det godas egen skull, och det anses allmänt vara den högsta moraliska ståndpunkt en människa kan höja sig till.

Han mindes henne med odelad tacksamhet, och han erinrade sig med blygselrodnad, att han ännu var skyldig henne fyrtiotvå kronor. Han sökte förgäves ett moraliskt stöd i det sakförhållandet, att minst tre av hans klasskamrater lämnade staden ungefär lika skuldsatta hos fru Kravatt som han.

Plötsligt kom han att tänka på herr Léopold Mabilleau och hans moral för det något högre skolstadiet. "Samvetets röst säger oss vad som är gott." Men då är ju herr Mabilleau lika överflödig som hans bok! – Fru Kravatt visste honom förutan vad som var gott, och gjorde det! Hon lydde "samvetets röst".

*

Arvid gick av och an i rummet. Två, tre steg fram mot fönstret, två, tre steg tillbaka mot kakelugnen.

Han stannade vid kartan över soffan. Kartan över Norra Värmland. Där var han född; där hade han levat längsta delen av sitt liv. Nu var han här, i ett litet tarvligt möblerat rum med brunrosiga tapeter, i landets huvudstad. Var skulle han hamna? Han mindes sin barndoms stora flod, floden med tre namn – med ett namn i Norge, där den rinner upp som en ostyrig bergsbäck ur en fjällsjö; med ett annat namn i Värmland, där den breder ut sig och saktar sitt lopp så att den på sträckor av sju–åtta mil kan befaras av ångbåt; sväller ut till en stor insjö och till sist under ett tredje namn som Sveriges största flod söker sig väg till havet, västerhavet, världshavet.

Och han mindes en dikt, som han en gång – det var just den där våren strax före studentexamen – hade skrivit och fått införd i Karlstadstidningen under en signatur. Hur himlastormande glad hade han inte blivit då han läste den på tryck i tidningen! Han mindes att han i glädjen hade gått en milslång vandring längs Klarälven ända till Lunden, och där hade han suttit i timmar på en sten vid stranden och stirrat ut över Vänerns stora blå inlandshav... Och väl hemma i Karlstad igen hade han förstås inte kunnat låta bli att gå upp till fru Kravatt, han hade läst dikten för henne och fått skaldelönen...

Han letade fram poemet ur en skrivbordslåda Det var ett redan litet gulnat tidningsurklipp:

JAG GICK PÅ VÄGEN MED MIN MODER.

Jag gick på vägen med min moder
en sommarkväll i ett förlovat land
med blåa berg och blanka stilla floder
och höll i hennes hand min hand.
Vår väg bar ned i sakta sluttning mot
den gröna dalen. För vår fot
låg flodens breda vattenspegel
på vilken hundra solbelysta segel
av vita skepp
och mörka gråa skepp
i drömlik tystnad nedåt älven gledo.
I floden var en ö, där låg en stad
med röda tak och krön i bruten rad,
kring vilka skuggorna med ljuset stredo.
Men bortom staden, där låg allt begravet
i dis och töcken. Där var havet.

Moder, frågade jag, säg,
för oss aldrig denna väg
ända ner till stranden?
Jag vill gå till stranden ned
till ett skepp och följa med
till de blåa landen.

Helt sakta svarade min mor: Var stilla, barn,
snart blir du stor;
då får du gå till stranden
och segla, så din moder tror,
bort till de blåa landen.
Var tålig blott och styr ditt blod,
så kommer väl på denna flod
en gång ditt eget vita skepp,
din levnads ljusa lyckoskepp,
och för dig ut i världen.
Håll rodret då med säkert grepp,
så går dig väl på färden!
Först kommer du till staden där,
de lysa, torn och tinne.
Du vet ej, barn, hur mörk den är
när man skall bo där inne.
Där skall du likväl bo en tid,
du vet ej själv hur lång, hur kort;
där skall du kämpa mången strid,
tills lyckoskeppet för dig bort.
I tornet ringer klockans kläpp,

det lägger ut, ditt vita skepp,
det lägger ut och för dig långt
från staden bort, där skumt och trångt
ditt öde låg begravet.
Det för dig ut på havet.
Men bortom havet är väl ock en strand.
Där ligger drömmens blåa land,
och där, där skall du alltid bo.
Så är din moders tro.

* *

Så var min moders tro.
Nu är det länge sen, och jag har glömt
var landet låg med berg och blåa floder,
och jag har ej på länge sett min moder.
Kanhända har jag drömt.

…"Och jag har ej på länge sett min moder." – Nej, det var verkligen sant. Han var bara sex år, då hon dog.

Denna dikt var nästan den enda han någonsin skrivit. I vart fall den enda han skrivit färdig.

Nej – poet var han inte. Han såg för torrt och nyktert på världen till det. Hade inte den lyckliga förmåga av själv-villusion och självberusning, som behövs till det. Kanske inte heller den fullständiga samvetslöshet som behövs till det! Nog för att en diktare kan ha ett slags samvete; men hans samvete är av det lösaktigaste slag som finns.

Nej, *det* var verkligen inte hans ärelystnad. Att bli diktare. Nej tack!

– – – Ärelystnad?...

– *Har* jag någon ärelystnad?

Han gick fram och åter i rummet, två, tre steg framåt, två, tre steg tillbaka – större var inte rummet – och stannade framför spegeln över kommoden.

– Vad är *min* ärelystnad? frågade han sig själv. Och det tycktes honom att spegeln svarade:

– Om du alls har någon annan ärelystnad än den att någorlunda skapligt kunna dra dig fram genom livet, så är det den – – –

Han stirrade skräckslagen i spegeln. Nej, tänkte han, nej – han liksom *bad* spegeln: nej, säg inte mera...

Och det tycktes honom att spegeln svarade:

– Jo. Du har frågat mig, och jag svarar. Om du alls har någon ärelystnad så är det den: att få ett namn i ditt folks historia. Inte i dess litteraturhistoria eller någon annan liten biflod till dess historia. Utan i dess *historia*.

*

Jag är antagligen inte riktigt klok, tänkte Arvid. Då gäller det att åtminstone försöka spela klok. Och klockan är snart nio, och det är på tiden att gå till tidningen.

Han tog hatt och rock och käpp och gick ut.

* * *

Hösten skred fram med tidig skymning och regnblanka gator med ljusstänk från gaslyktor och upplysta fönster...

En kväll sent i november kom Arvid Stjärnblom från Operan till sin tidning, litet nervös: han skulle för första gången i sitt liv försöka skriva en musikrecension.

Det hade gått till så här:

Vid fyratiden samma dag hade han gått ner till tidningen för att få order för kvällen och natten. Det var Markel, souschefen, han skulle vända sig till, men han träffade honom inte strax, och medan han väntade, visslade han adagiot ur Beethovens "Pathétique", som han av en eller annan orsak hade i huvudet, medan han stod och bläddrade i sista häftet av Ord och Bild. Då dök plötsligt chefen, dr Doncker, fram genom en öppen dörr – han brukade annars nästan aldrig vara på redaktionen vid den tiden. Han var en vacker och elegant – kanske lite för snarvacker och lite *för* elegant – man i början av fyrtioårsåldern.

– Var det herr Stjärnblom som visslade Pathétique? frågade han i sin lite snörvlande nasalton.

– Ja – jag ber om ursäkt!

– För all del. Det passar ju utmärkt. Då får ni gå på Operan i kväll och recensera, det är en liten flicka som debuterar som Margareta i Faust. Vår ordinarie musikrecensent är sjuk, och jag skall bort på middag. Adjö!

När den ordinarie hade förfall, brukade chefen vikariera själv. Dr Doncker hade till helt nyligen varit docent i geologi, men skrev, som Markel brukade säga, latinsk vers bättre än svensk prosa och intresserade sig för övrigt egentligen bara för affärer och kvinnor. Men han kunde skriva hjälpligt om vad som helst – "*även* om kufiska mynt", påstod Markel...

Ja, så hade det alltså gått till. Och nu satt kandidat Stjärnblom och grubblade vid skrivmaskinen.

Han hade mycket fort lärt sig att skriva på maskin. Det innebar visserligen ingen nämnvärd tidsbesparing då han själv skulle hitta på det som han skrev, men det förekom mera sällan: till hans vanligaste uppgifter på redaktionen hörde det att översätta utrikespolitiska artiklar ur tyska och engelska tidningar, som bladets "utrikesminister" lade för honom förstrukna med blåkrita, och följetongsnoveller ur "Le Journal", som en annan högre medarbetare lade för honom förstrukna med rödkrita. Och när det gällde översättningar, kunde han på maskinen skriva lika mycket på en halvtimme som eljest på två eller kanske tre timmar.

Men nu, då han alltså skulle hitta på något själv?

Nej – han övergav maskinen och satte sig vid skrivbordet.

*

Markel *rasade* i rummet bredvid:

– Djävlar och satan! Djävlar, fan och satan! Jag blir galen till sist!

Plötsligt öppnades dörren och Markel kom in. Han var blek av raseri.

– Kan du tänka dig, sade han, den djäveln gav mig sitt hedersord på att prästasets artikel inte skulle komma in…

– Vilken djävel, och vilket prästas?

– Vilken djävel? Doncker naturligtvis! En präst av den allra värsta sorten, en "frisinnad" präst, har skickat oss en artikel, som i fri översättning går ut på att man naturligtvis inte behöver tro på bibeln eller på dogmer eller på någonting alls för att vara präst i svenska kyrkan, men att det måste finnas präster och framför allt biskopar, och att vi har för få biskopar! Vi ha bara tolv eller tretton, vi måste ha minst fjorton eller femten! Karlen är ännu för ung och obetydlig att vara biskopsämne, men han tänker på framtiden! – Gott. Jag råkade få se ett korrektur och gick in till Doncker med det. Han sneglade lite på det och sade, att han aldrig hade sett artikeln eller ens hört talas om den. Och det är mycket möjligt att det var sant…

– Ja, men, avbröt Arvid, hur kan en artikel komma ner i tryckeriet och bli uppsatt utan att varken chefen eller souschefen har reda på den?

– Hur? Det frågar du, när du har varit här i mer än två månader! Hissen, din lilla vita åsna! Manuskripthissen där ute i korridoren, som oupphörligt går med manuskript ner till tryckeriet och upp igen med korrektur!

Vem som helst kan ju komma upp från gatan och in i korridoren, och om den händelsevis är tom kan han stoppa ner ett manuskript och skicka ner det med hissen. Eller om han inte känner de lokala förhållandena tillräckligt, behöver han bara vända sig till en av våra många underhuggare – dig till exempel! – och be honom sköta om saken. Och om manuskriptet bara kommer ner i tryckeriet, blir det uppsatt! Och sedan kommer det in i tidningen, om jag inte händelsevis råkar få se det! – Nå: jag fick alltså Donckers hedersord på att smörjan skulle gå i papperskorgen. Men det hindrar naturligtvis inte att jag nyss fick fatt i artikeln i *nytt* korrektur – i läst och rättat korrektur! Telefonerade till faktorn. Svar: Doncker hade för en eller två timmar sedan telefonerat till faktorn, att artikeln ovillkorligen skulle in! Den djävéln är borta på middag, där har han träffat prästen eller någon annan halvreligiös fähund som har övertalat honom, och resultatet: artikeln står i morgon! Det vill säga, den står *inte* i morgon, ty som vakthavande har jag rätt att undanskjuta längre artiklar, när de inte äro aktuella för dagen. Men då står den där i övermorgon, när jag inte har vakten! Det är för djävligt. – Men får jag se, vad är det du har skrivit? Jag hörde ju av Doncker att han hade skickat dig till Operan…

Han tog manuskriptlappen och ögnade lite på den, medan han fortsatte:

– De moderna prästerna tycks ha glömt den uråldriga grundmeningen med prästämbetet. Den kan återfinnas i ett litet ord av profeten Malaki: "Prästens mun skall förvara sanningen." Observera att det står *förvara*. Det står inte "sprida ut". Och att på en gång vilja vara präst och sprida ut sanningen – *det* går inte! – På en gång! Hur vore det möjligt!

Han tystnade och läste.

Plötsligt lyste han upp:

– Ja, men det här är ju bra, sade han. Jag måste ju se på det, eftersom jag på grund av avlägsen släktskap och så gott som fullständig obekantskap med din person har skaffat dig hit och alltså har ett slags ansvar för vad du skriver i tidningen. Men det här är ju riktigt bra! "Fröken Klarholms röst och sångbegåvning peka på nästan obegränsade möjligheter"... Et cetera... "Hennes aktion tyder däremot på bristfällig instruktion: Margareta skall först i fängelsescenen bli vansinnig, men fröken Klarholm spelade vansinnig så gott som ända från början. Denna Margareta föreföll född vansinnig."

– Det är bra! sade Markel. Jag anar inte hur fröken Klarholm spelade. Men folk tycker inte om att läsa för mycket beröm om andra. Den, som berömmet gäller, tycker ändå aldrig att det är nog mycket beröm, och de andra bli avundsjuka. Men om en kritiker skäller ut en komediant eller sångerska, då blir *en* ledsen och alla andra glada! Alltså: skäll bara! Man bör ju försöka sprida litet glädje över tillvaron och i mänskligheten!

Markel gick, men kom i nästa ögonblick tillbaka:

– En annan sak, sade han. Gubben Stille är död...

– Vad är det du säger – – –?

Markel studsade ett ögonblick:

– Vad i all världen – – –? Hur kan det beröra dig på något särskilt sätt? Han var gammal, och vi måste alla dö. *"Nästan* alla", som Ludvig XIV:s hovpredikant försiktigtvis tillade, då han såg att kungens ansikte mulnade...

– Nej, nej, sade Arvid, men jag har inte hört att han varit sjuk. – Jag kände ju honom en smula.

– Nej, han har heller inte varit sjuk. Det är helt enkelt en spårvagnsolycka.

– Hur har det gått till?

– Herregud – han satt nere i en liten vinstuga vid Norrmalmstorg och drack en flaska vin med några andra gamla gossar. Så skulle han hem med en spårvagn. Ännu i detta nådens år 1897 ha vi ju hästspårvagnar i Stockholm, men alltså, hästarna travade ganska snällt, och gubben Stille i sitt lilla lätta vinrus glömmer att han är några och sextio år och vill hoppa upp på vagnen! Men snavar och faller och slår huvudet i gatan. Detta skedde alltså för några timmar sedan, och resten faller av sig själv – ambulansvagnen, Serafimerlasarettet – och vid tiotiden fick vi telefon om att han var död. Nekrologen är färdig, efter Nordisk Familjebok, uppsatt och korrekturläst. Här har jag ett avdrag. Eftersom du kände honom en smula, kan du kanske lägga till några rader med litet mera personlig färg. Om du har lust.

Markel gick.

*

Arvid satt med den fuktiga korrekturremsan i handen:

Sorglig olyckshändelse. – Anders Stille, den kände och värderade landskapsmålaren... Född 1834... Elev av konstakademien på 1850-talet... Medalj i Paris 1868... "Skärgårdstallar efter regn" i Luxembourggalleriet... "Uthuslänga i gråväder" i Nationalmuseum i Stockholm... Främmande för de nyare konstströmningarna... Stod på de senare åren något i bakgrunden... En flärdfri och redbar konstnär, en aktad och avhållen människa... Änkling sedan några år... Sörjes närmast av två söner och en dotter...

Arvid satt och stirrade tomt, tankfull och förströdd på en gång...

Nej, han hade ingenting att tillägga i nekrologen. Snarare hade han velat ta en blåkrita och stryka det där om "något i bakgrunden", men han hade ingen rätt att ändra något i en annans artikel. I alla fall pinade det honom. Lydia kunde kanske tro att det var han som skrivit det.

Lydia...

Han for med ens upp, vred om nyckeln i dörren till det stora redaktionsrummet och brast i våldsam gråt.

*

59

Tills han plötsligt stampade till med ena foten: Vad är det här? Jag är tjugutre år om ett par tre veckor, och gråter som en barnunge, det är för djävligt… Han störtade ut i toalettrummet, tvättade sig i ansiktet och gned med handduken bort alla spår av gråten. Så gick han in igen och vred på nytt om nyckeln i dörren till rummet bredvid.

Nu kunde han gå hem. Klockan var något över ett, och han hade ingenting mer att göra på tidningen nu. Han var på grund av sitt uppdrag som tillfällig musikkritiker befriad från korrekturtjänst denna natt.

Men han ville i alla fall gärna se ett avdrag av sin recension innan han gick. Och han påminde sig något som han hade skrivit om den unga debutanten: "Denna Margareta föreföll född vansinnig." Det kunde han ju gärna stryka. Hon hade vacker röst och hon hade gjort lycka med den. Då vore det ju synd att förgifta hennes glädje med en liten onödig elakhet.

Han ringde till tryckeriet och frågade om recensionen var uppsatt. – Ja. – Om han kunde få ett avdrag? – Ja.

Markel röck upp dörren:

– Är du färdig med ditt? Kom då in till mig och ta en grogg!

– Ja tack, svarade Arvid, jag ville bara ha ett avdrag av min recension.

– Asch! Gamla Johansson sitter på korrekturet, och han är säker. Och för resten är din handstil omöjlig att läsa fel på.

– Men det var något jag ville ändra...

– Där är ingenting att ändra. Jag har läst den, och den var all right. Kom nu! Och för resten, tillade Markel, skall jag försöka sörja för att du slipper sitta vid korrekturet natt efter natt. Inte för att du gör det dåligt – tvärtom, jag blev nästan orolig när jag märkte hur bra du skötte korrekturet – orolig för din framtid nämligen! En ung man, som *kan* läsa korrektur, kan i regel nästan ingenting annat, och då blir han sittande i korrekturet tills skägget vitnar. Som gubben Johansson.

Stora redaktionsrummet låg mörkt. Ingen var där för ögonblicket. Men i dörren till Markels lilla håla lyste en trekantig, smaragdgrön lampkupa.

Markels lilla rum låg mellan chefens och stora redaktionsrummet.

En rätt ung herre i sällskapsdräkt satt i ett hörn av den lilla soffan. Han tycktes halvsova.

– Tillåt mig att presentera, sade Markel. Det här är herr Stjärnblom, son till någon av mina femtio eller sextio kusiner – herr Henrik Rissler, författare av en osedlig roman, som dock efter min mening inte var mera osedlig än en roman måste vara för att vara läsbar.

Man utbytte hälsningar. Markel fortfor, vänd till Stjärnblom:

– Här skall du få höra! Rissler hör, som du vet, till tidningens stab av mera sporadiska, skönlitterära och betydelselösa medarbetare. I förmiddags kom han med ett bidrag, en liten novellett – pris 25 kronor. Men olyckan ville att tidningens kassa för ögonblicket var lika tom som den lovande unge författarens. Då föll Doncker på den lysande idén att rädda situationen med att säga, att han – kan du tänka dig? – måste *läsa* pekoralet innan han kunde honorera det! Men Rissler är en fridfull fan och blev inte arg. I stället dyker han upp nu mitt i natten för att höra efter om Doncker har läst hans novellett och om kassan är öppen!

– Kära Markel, svarade Rissler, du har en underbar förmåga att prata skit. Jag har naturligtvis kommit av den enkla anledningen att det är för sent att komma in på en krog. Jag var borta på en middag och glömde mig kvar lite för länge. Där var för resten Doncker också.

– Så, hos Rubin… Vad prästaset där?

– Där var verkligen ett prästas, men jag hörde inte efter vad det hette.

Markel utstötte ett krigstjut:

– Ha! Kommer du ihåg vad jag sade för en stund sedan, Arvid?

Arvid nickade.

– Ja, mumlade Markel, i morgon står artikeln i vart fall inte. Det har jag dragit försorg om. Skål, gossar!

Skål. Är det något nytt i Dreyfusaffären?

– Inte för dagen. Det är väl ungefär en vecka sedan Mathieu Dreyfus anklagade Esterhazy för att ha skrivit bordereaun. Och det ser ut av Paristidningarna som om det skulle bli en ny krigsrätt – för formens skull. Det kan man läsa mellan raderna.

– Underlig historia, sade Rissler. Jag har varit i Paris ett litet tag – kom hem i förrgår. Där hörde jag cameloterna skräna längs bulevarderna. "Scheurer-Kestner har haft en negress till älskarinna!" Scheurer-Kestner är visst omkring sjuttio år och kan naturligtvis under ett långt liv ha hittat på ett och annat att roa sig med. Men hur det kan bli ett bevis på Dreyfus' brottslighet, det förstår man inte strax...

– Tyst! Det går någon i korridorn...

Markel satt andlöst lyssnande.

Det hördes verkligen dämpade och tassande steg därutifrån. En dörr hördes gnälla till en smula. Stegen voro nu i chefens rum. Nyckeln i dörren, som skilde det från Markels, hördes vridas om.

Arvid Stjärnblom såg på sin klocka. Hon var en kvart över två.

– Ts! viskade Markel. Han har ett fruntimmer med sig!

Det hördes ett lätt frasande i rummet bredvid.

– Ja, skål alltså, sade Markel plötsligt mycket högt.

Ny tystnad. Tills man hörde steg, som icke längre ansträngde sig att inte höras, ur chefens rum ut i korridoren och fram till Markels dörr. Dörren öppnades och dr Doncker stack in huvudet.

– God afton, sade han. Jag törs väl inte be herrarna om en liten rent privat och personlig tjänst?

– Låt höra, sade Markel. Men vill du inte först ha en grogg?

– Nej tack. Jag ville bara fråga om inte möjligen fortsättningen av den här angenäma lilla kollationen skulle kunna förläggas till något annat rum – helst någonstans i andra ändan av huset?

– Jo, svarade Markel. Men på ett villkor!

– Vad då?

– Att prästens artikel aldrig kommer in! Aldrig!

Dr Doncker fnyste till, ett litet halvkvävt skratt:

– Kära Markel, vad fan tror du jag bryr mig om prästens artikel? Den får du göra vad du vill med.

– Gott. Då är vi överens. Och kom ihåg att jag har två vittnen!

Med buteljer och glas skred en tyst procession fram genom korridoren vid ljuset av en ensam glödlampa. Dr Doncker stod kvar vid dörren och såg den försvinna. Markel vände sig om och viskade mycket högt:

– Det är väl inte lönt att fråga, om du vill komma med och ha en liten grogg?

– Nej tack, svarade dr Doncker.

* *

På hemvägen fick Arvid Stjärnblom fatt i en flicka. Det vill säga, en flicka fick fatt i honom.

* * *

Det var massor av snö och bistert kallt redan i de första decemberdagarna det året. Så också den dag då gamle

64

Stille begravdes.

Arvid hade gått ut till Nya kyrkogården för att få se en skymt av Lydia. Han hade skickat en enkel krans till kistan.

Han tog plats bland en liten skara nära ingången till jordfästningskapellet. Han kände igen några konstnärer, mest grånade män, och Konstakademiens direktör med den adliga profilen, landets främsta konstnär av sin generation. Och där stodo väl också några som kommit av nyfikenhet, men säkert inte många.

Nu syntes liktåget ute på vägen, i skritt, likvagnen med dess silversirater, en sista fattig rest av barocktidens smak för grannlåt i livet och i döden, blänkte i den bleka decembersolen. Kistan bars ur vagnen av grova nävar i vita bomullsvantar, likföljet steg ur vagnarna, processionen ordnades. Lydia gick bakom kistan, med ung och rank hållning och huvudet lätt böjt under sorgedoket. Vid hennes sida gick Filip, blek med litet frostbiten näsa. Otto syntes inte till – det var sant, han skulle ju resa till Amerika... Han hade alltså redan rest.

Arvid hade blottat huvudet för kistan och stod ännu med hatten i handen, då Lydia gick förbi honom. Men hon gick med sänkta ögonlock och såg ingenting. Efter de få släktingarna och närmaste vännerna gick Konstakademiens direktör i spetsen för de gråskäggiga konstnärerna in i kapellet, och portarna slogos igen.

Arvid vände om inåt staden.

Han kom med ens att tänka på "Den förlorade sonen"

på Nationalmuseum. Det låg just nu samma ödsliga snö-vinterskymning över kyrkogården som över den tavlan.

Han blev stående ett ögonblick vid en hög gravsten med en bronsmedaljong. Emanuel Doncker, stod det i bleknade guldbokstäver på stenen. Det var chefredaktörens farfar, den berömde kemisten. Och medaljongens profil hade verkligen något som erinrade om sonsonens.

Arvid brast i ett kort skratt. Han erinrade sig morgonen efter den där natten på redaktionen för några dagar sedan. Han hade öppnat sin tidning med mera intresse än vanligt den morgonen – han sökte efter gamle Stilles nekrolog och efter sin lilla musikrecension. Men det första som mötte hans ögon var prästens artikel – placerad på någonting mitt emellan ledarplats och vad som helst. – Sedan fann han naturligtvis också det han sökte. Nekrologen var vanställd av ett par dumma tryckfel. Dem erinrade han sig tydligt att han hade sett och korrigerat, men han hade väl alltså glömt att skicka ner korrekturet i hissen... Och hans recension. "Denna Margareta föreföll född vansinnig." På tryck tog det sig ännu värre ut än i handskrift. Han blev nästan förskräckt: Är det verkligen jag, som har skrivit något så rått och oförskämt? Och jag tänkte ju stryka det i korrekturet, men så kom det något emellan, och jag glömde bort alltihop...

Han gick långsamt mellan gravarna, med kragen uppfälld.

På nytt måste han skratta till. Han erinrade sig Markels förklaring, då han kom ned på redaktionen och frågade honom hur i all världen prästens artikel hade kommit in,

– Det finns bara en förklaring, sade Markel. För en gångs skull trodde jag honom på hans ord – jag hade ju två vittnen! Och sedan satt jag och pratade i frid och oskuld med dig och Rissler. Under tiden måste Doncker ha erinrat sig, att han hade givit prästen ett lika högtidligt löfte! Medan hans donna hakar upp korsetten och lossar på kalsongerna, erinrar han sig plötsligt att vi har för få biskopar! Han telefonerar till faktorn: artikeln *måste* in! Och den kom in! Han är ju i alla fall affärens chef. – För resten kan man inte bli arg på honom. När jag skällde ut honom för hans lilla tjyvstreck, svarade han mig: kära Markel, i den situation vari jag befann mig i går afton lovar man naturligtvis vad som helst! – Och det har han för en gångs skull rätt i.

Ett par minuter efter samtalet med Markel hade Arvid mött chefen i korridoren, han hade stannat och sagt:

– Jag läste er lilla recension, herr Stjärnblom, den var ju som den skulle! "Född vansinnig" – mycket bra! Jag har för resten redan märkt att ni är användbar. Från nyåret får ni fast lön, det blir hundra kronor i månaden att börja med.

– – – Arvid gick långsamt inåt staden. Vid Norrtull tog han en spårvagn.

* *

Några dagar efter begravningen skrev Arvid ett brev till Lydia.

Han skrev bland annat:

– – – "Ingen dag, sedan vi sist voro samman, har du varit borta ur mina tankar. När jag ändå har hållit mig tillbaka, så har det varit därför att jag tyckte, att jag borde och måste det. Jag har ju intet att bjuda dig – ingenting alls annat än en avlägsen och oviss framtid" – – –

Han fick svar nästa dag:

Arvid. Tack för ditt brev. Jag har läst det om och om igen, men förstår det inte riktigt – jo, jag förstår det, men förstår det ändå inte!

Men en gång ville jag väl gärna råka dig igen. Inte nu – jag är så trött och ledsen nu. Men lite längre f ram.

Det är så tomt efter far.

Lydia.

* * *

Den 11 januari 1898 föll krigsrättens frikännande utslag i målet mot Esterhazy. Frankrikes och den franska härens ära kunde icke uthärda den tanken, att det lilla smutsiga och sakligt tämligen betydelselösa förräderi, för vilket en duglig och förmögen generalstabsofficer av judisk börd hade blivit dömd, i verkligheten var begånget av en obetydlig linjeofficer av utländsk börd, en moraliskt förkommen och förfallen slusk. Den 13 januari stod Zolas *J'accuse* i "l'Aurore", och en kort resumé av innehållet telegraferades ögonblickligen världen runt. Två dagar senare ankom ett exemplar av "l'Aurore" till National-bladets redaktion.

Markel strålade. Han samlade redaktionen omkring sig. Från ett rum kom Olof Levini, lyrikern, kritikern och litteraturhistorikern – ett berömt och omstritt namn redan då. Från ett annat kom Torsten Hedman, dramati-kern och teaterkritikern. Även författaren Henrik Rissler dök upp – han kom för att få höra nytt i Dreyfusaffären. Och den gången *fick* han höra nytt!

Markel tog saxen, klippte sönder den väldiga artikeln i bitar och remsor och delade ut dem till höger och vänster.

– Du skriver maskin, sade han till Stjärnblom, du får ta de tre första spalterna att börja med. Så få de börja med dem i tryckeriet, och under tiden hinner jag ordna och numrera de andra lapparna.

– Men snälla Olle, sade han till docenten Levini, *försök* att skriva så att de kan läsa det där nere!

(Tryckeriet låg i källaren.)

Levini och Hedman gjorde naturligtvis i regeln aldrig översättningsarbete, men det här var något särskilt.

– Ge mig också en bit, sade Henrik Rissler. Jag skriver annars aldrig en rad utan betalning, men det här akt-stycket vill jag vara med om att översätta!

Rissler var annars beryktad för sin lättja.

– – – Då Stjärnblom var färdig med sin del av översätt-ningen, gick han ut i korrekturrummet och hjälpte gamle Johansson med läsningen. Den första korrekturremsan hade redan kommit upp. Vid tvåtiden var hela den kolossala artikeln översatt, uppsatt och korrekturläst, så att den kunde gå med som bihang till landsortsupplagan och skickas ut som extranummer i Stockholm.

*

Nationalbladet hade, tack vare Markel, från första ögonblicket hållit den rätta kursen i Dreyfusaffären. I andra frågor, politiska i synnerhet, kunde dess kurs vara något vacklande, som en skalds vandring om natten. Politiskt var tidningen tämligen likgiltig – den "stod över partierna", som det hette i dess sista prenumerationsanmälan. Man gjorde i detta hänseende, som så ofta eljest, en dygd av nödvändigheten: man kunde av vissa historiska skäl icke tänka på att öppna förbindelse med något politiskt parti. Nationalbladet hade grundats någon gång på 1880-talet som ultrareaktionärt protektionist- och agrarorgan. Det hade aldrig burit sig, men alltid levat på mecenater ur storindustriens kretsar. Efter det protektionistiska genombrottet vid slutet av åttiotalet hade emellertid de intressen, som tidningen var till för att förfäkta, fått vad de ville ha, och mecenaterna gjorde, mätta och nöjda, min av att vilja vara i fred för detta eviga danaïdernas kärl. Bladet förde en tynande tillvaro, och på vårsidan 1897 inträffade en krasch! Dess sista mecenat, som redan i flera år hade varit dess enda ekonomiska stöd, nödgades inställa sina betalningar och ställa sina affärer under administration. Bland hans allra svagaste aktiva befann sig aktiemajoriteten i Nationalbladet – kreditorerna voro snarast böjda för att uppföra den bland passiva... Men då inträffade något.

En finansman, Henry Steel, som inte intresserade sig det minsta för politik, men som hade starka kulturella och konstnärliga intressen, hade kommit i nära beröring med en krets av diktare och författare – den store skalden P.A. von Gurkblad, Olof Levini, Torsten Hedman, Henrik Rissler och andra – även dr Doncker hörde till kretsen – och av dem låtit förleda sig att lova sitt ekonomiska stöd åt en ny tidning. Det skulle bli en liberal aftontidning, ty alla avskydde *Aftonposten* – det var den som skulle konkurreras ihjäl. Den skulle som sagt vara liberal eller snarare radikal, blott med en något starkare betoning av de nationella synpunkterna än det eljest den tiden brukades i det liberala partiet. Doncker skulle av någon hemlig orsak vara chefredaktör. P.A. von Gurkblad skulle med sitt stora namn stödja tidningen som ordförande i styrelsen och dessutom vara frivillig medarbetare. Olof Levini skulle vara litteraturkritiker och skriva ledare i kulturella frågor. Torsten Hedman skulle skriva om teater och bildande konst och vad han eljest hade lust till. Och så vidare. Och Markel – även han hörde till kretsen – skulle sköta politiken.

Men nu ville ödet, att Henry Steels bank, det vill säga

han själv, råkade vara Nationalbladsmecenatens största fordringsägare, då kraschen kom, och att det alltså blev han som fick den kanske inte så lätta uppgiften att reda ut hans affärer. Det ansågs allmänt, att han gjorde det med en lycklig hand, men inte utan betydliga förluster för sig själv. På detta sätt kom han plötsligt – mycket mot sin vilja – att ligga inne med Nationalbladets aktiemajoritet. Vad i all världen skulle han göra med den – nu, då han hade lovat sin medverkan till en ny tidning? Lösningen var lika enkel som Columbi ägg: Levini och Doncker och de andra gossarna få ta Nationalbladet och göra om det till den tidning de ha drömt om! Han utvecklade den tanken en kväll för Doncker, Olof Levini och Torsten Hedman. De blevo alla lite tysta och tankfulla till en början.

– Det blir kanske lite svårt, sade Torsten Hedman.

– Svårt och svårt! svarade Henry Steel. Ingenting är väl omöjligt. Ni får göra det bästa ni kan. *Jag* gör så gott jag kan, och det här är det enda sättet jag kan göra det på. Tänk efter själva: vad i all världen skall jag annars göra med Nationalbladet? Den som har aktiemajoriteten i ett företag har ju en viss skyldighet att sörja för att personalen inte plötsligt står brödlös på gatan. Om ni vill vara med om den här kombinationen, kan åtminstone kontors- och tryckeripersonalen och den mera underordnade och färglösa delen av redaktionen stanna på sina platser. Vad de andra beträffar får jag naturligtvis sörja för ett passande soulagement, tills de få andra platser.

– Ja, då blir det väl ingen annan råd, suckade Olof Levini.

– Idén är för resten briljant, sade Doncker. På det viset får vi ju en prenumerantstock från första början, och enligt lagen om kroppars tröghet blir nog en god del hängande fast, trots vår nya kurs!

Saken ordnades i en hast på en extra bolagsstämma med Nationalbladets aktieägare.

– Du skall rösta för trettio aktier, hade Doncker sagt till Henrik Rissler.

Och Rissler hade gått upp på bolagsstämman på Ryd-berg – "Oscarssalen" – och röstat för trettio aktier som han aldrig hade sett.

Sådan var alltså tidningens historia, som Markel en afton hade berättat den för Arvid Stjärnblom.

*

Arvid stod vid fönstret i Torsten Hedmans rum. Han brukade få använda det, när det var ledigt. Men han hade ingenting att göra nu och skulle just gå – han hade låtit dörren till korridoren stå öppen.

Det började redan skymma, och snön föll tätt därute.

Han stod och tänkte på sin framtid. Under jullovet, då han var ledig från skolan, hade han ägnat sig helt och hållet åt tidningsarbetet, och det intresserade honom.

Han fann sig ha mera att lära av det än av provårskursen i läroverket. På tidningsredaktionen kände han det som om han befann sig i en mera central punkt av tillvaron än i skolan. Och nu om ett par dagar skulle den börja igen... Han kände mest lust att skriva till rektorn, att han av de och de skälen såg sig nödsakad att avbryta sin provårskurs. Han gjorde det ogärna, ty rektorn hade visat honom ett vänligt intresse och berömt hans pedagogiska anlag. "Född till lärare", hade han sagt – då blev Arvid Stjärnblom lite rädd... Men det var också en annan sak: en dag hade han växlat några ord med dr Doncker, av vilka han hade förstått att chefen, den gången han upphöjde honom till fast avlönad medarbetare, totalt hade glömt att Stjärnblom på samma gång gick provår vid Norra Latin. "Ack", hade han sagt då Stjärnblom påminde honom om det, "ge fan i lärarbanan, herr Stjärnblom – så vida det inte särskilt roar er att i hela ert liv slita en hund för ett stycke torrt bröd..." Men så var det ännu en annan sak: Nationalbladets ekonomiska grund föreföll honom litet gungande. Tidningen gick framåt efter "revolutionen", om den saken fanns intet tvivel; men det påstods man och man emellan på redaktionen att de friska pengar, som bankdirektör Steel hade satsat för tidningens drift, redan för länge sedan voro uppätna. Donckers kostnadsberäkningar hade varit alltför sangviniska. Steel hade visserligen räknat med den faktorn, att kostnadsberäkningar alltid äro sangviniska; men detta var något enastående. Så sade åtminstone Markel. Och en dag hade Markel sagt till Torsten Hedman: "Det är en spännande dag i dag; det är avlöningsdag. Nu åker Doncker omkring i droska och viggar pengar åt oss. Han är en hederspojke i alla fall!"

Arvid Stjärnblom kände sig lite villrådig…

Och snön, den föll och föll…

Nej, nu kunde han gärna gå. Men först var det något han ville tala med Markel om.

Han gick ut i korridoren. Den låg i mörker. Han skruvade upp en lampa. I andra ändan av korridoren såg han en ung dam och en av vaktmästarpojkarna, som pekade med handen, där, den vägen…

Han hade genast känt igen Lydia.

Hon kom emot honom i korridoren:

– Jag skulle lämna in en annons, sade hon, men jag kan inte hitta rätt…

Arvid stod helt förvirrad.

– Jag kan ju visa vägen, sade han.

– Tack.

– Men är det så bråttom? Annonskontoret är öppet ett par timmar ännu. Vill… Vill du inte sitta en stund hos mig?

Lydia dröjde litet med svaret.

– Om det går för sig, sade hon.

– Ja det gör det, svarade han. Jag har Torsten Hedmans rum, när han inte begagnar det själv. Och han gick för en timme sen och kommer inte igen förrän i kväll efter teatern.

Han drog sakta igen dörren efter dem. Rummet låg i

halvskymning. Snön därute, den föll och föll.

De stodo tysta och förvirrade, bägge. Tills de sjönko samman i en kyss. Den blev lång.

Hon var våt av snö.

– Vill du inte ta av dig hatt och kappa? frågade han.

– Går det för sig? Det kunde ju komma någon… Det kunde se underligt ut…

Arvid vred om nyckeln i låset.

– Jo, sade han, det går för sig. Det kommer ingen.

Ingen av dem sade något på ett par tre sekunder.

– Sitter du här och skriver? frågade hon.

– Ja, sade han, när herr Hedman inte är här. När han är här, sitter jag i stora redaktionsrummet och skriver i sällskap med en fem, sex andra små fattiga murvlar.

Hon tog av sig hatt och kappa och stod där i sin enkla svarta sorgdräkt och sitt ljusa hår.

– Men om nu någon… om nu någon vill dig något och tar i dörrvredet…?

– Du kan vara lugn, Lydia, svarade Arvid. På den här tidningsredaktionen respekteras inte just mycket, men *en* sak respekteras obetingat: en stängd dörr. Men vad var det för en annons du talade om?

– Jag söker en plats. Ungefär vad som helst. "Gå frun till handa." Jag har ju inga särskilda anlag. Husligt arbete är det enda jag kan.

De tego bägge. Och snön, den föll och föll. Och det började mörkna. Den första lyktan tändes därute på gatan och kastade en ljusning uppåt taket i rummet.

– Säg, sade Arvid, du minns att vi möttes av en slump på Djurgården en dag i höstas. Du var i sällskap med en herre...

– Jo, svarade hon, det var dr Roslin.

– Så – Markus Roslin, kulturhistorikern och arkeologen...?

– Ja. Han är en gammal familjevän till oss.

De tego och snön, den föll och föll.

– Jag skall tala om något för dig, sade hon. På eftermiddagen samma dag kände jag en så rent oemotståndlig längtan att få råka dig. Och så gick jag upp och ringde på dörren, där du bor. Men det var ingen som öppnade.

Hon viskade detta med det ljusa huvudet tätt intill hans bröst. Han strök hennes hår med handen.

– Jag var hemma, sade han. Men du ringde bara en gång. Och jag kunde ju inte ana att det var du.

– Jag ringer inte gärna mer än en gång, sade hon. Jag "respekterar en stängd dörr", jag också...

– Å, Lydia...

Han tog hennes huvud mellan sina händer och såg henne i ögonen:

– Får jag göra dig en fråga? sade han.

– Ja – – –?

– Men du måste lova mig att inte bli ond på mig.

– Ja – – –?

– Är du... Är du en "oskyldig" flicka?

– Ja visst.

– Är du ond på mig nu för att jag frågade?

77

Hon log med en tår i ögat:

– Nej.

De tego bägge. Det skymde mer och mer. Och snön, den föll och föll. Hon satt med huvudet lutat intill hans bröst. Och han viskade hennes namn, gång på gång, meningslöst: Lydia – – – Lydia – – – Lydia – – –

Åter tog han hennes huvud mellan sina händer och såg henne djupt i ögonen:

– Du blir min fylgja, sade han. Vill du vara min fylgja?

Hon lossade varsamt hans händer.

– Jag vill vara allt för dig, sade hon. Men det kommer ju inte bara an på vad *jag* vill... Vet du vad jag tänkte, när jag fick ditt brev? Jag tänkte: så har jag ju intet att spara mig för...

– Hur menar du – – –?

– Å – ingenting...

Skymningen tätnade. Och snön, den föll och föll.

– Lydia. Att jag inte kan tänka på giftermål annat än som en avlägsen framtid, det måste du ju förstå.

– Ja.

– Men om du nu ville vara min lilla älskade i hemlighet?

Hennes ögon sågo ut i halvmörkret, stora och fulla av tårar.

– Nej, sade hon. Jag vill inte bli en börda för dig. Allt möjligt annat, bara inte det! Inte bli en börda för dig!

De vita flingorna därute dansade och lyste och segnade nedåt, nedåt.

De tego bägge.

– Kan du säga mig, sade hon, vad är rätt, och vad är orätt?

Arvid tänkte efter.

– Jag vet inte, svarade han. I förmiddags har vi här på tidningen översatt Zolas *J'accuse*, och vid det här laget sprids den väl redan som extranummer ute i staden. Och i det fallet vet jag vad som är rätt och vad som är orätt. Men jag skulle bli ganska förlägen, om jag en dag såg mig ställd inför den uppgiften att förklara för pojkarna i skolan vad som är rätt och vad som är orätt – att förklara det allmängiltigt, menar jag...

Hon satt med huvudet mot hans bröst och grät och grät. Hon hade alls inte hört på vad han sade. Hon skakade av gråt. Tills hon plötsligt gjorde sig lös och reste sig och torkade sina tårar.

Hon stod ung och rank med sin svarta sorgdräkt och sitt ljusa hår.

– Jag måste gå, sade hon.

Han reste sig också. Och han sade, efter en lång kyss:

– Jag *tror*, att du blir min fylgja.

Hon tog på sig hatt och kappa. De voro ännu våta av snö.

– Adjö, sade hon.

– Får jag inte träffa dig någon gång?

– Jag vet inte...

Hon stod med handen på dörrvredet, Arvid hade öppnat med nyckeln.

– Jag vet inte, sade hon.

Men plötsligt lindade hon armarna om hans hals:

– Jag vill viska dig något i örat, sade hon.

Och hon viskade med munnen tätt in i hans öra:

– Jag vill. Men jag törs inte.

– – – Och hon gjorde sig lös och ilade bort.

* * *

En morgon i april fick Arvid Stjärnblom ett brev.

Han kände genast igen Lydias handstil på kuvertet och slet upp det med feberhast. Det innehöll bara ett enda litet pappersblad. På ena sidan hade hon ritat ett litet landskap med blyerts – ett höstligt slättlandskap med nakna pilskelett som speglades i ett stilla vatten, en tung himmel med lågt drivande skyar och en flock av sträckande flyttfåglar...

Och på baksidan var det skrivet, också med blyerts: "Ud vil jeg, ud, o saa langt langt langt."

Intet annat. Intet mera.

Han stod undrande med det lilla bladet i handen. Vad var det hon ville säga honom med det? Han kände att det var något särskilt. Men vad?

Hade hon några resplaner?

"Ud vil jeg, ud, o saa langt langt langt"...

Nej, han kunde inte gissa hennes mening. Men det lilla bladet lade han in i sin annotationsbok.

Det var några vackra, tidiga vårdagar i april det året. Om man gick på en landsväg ett stycke utanför staden, var den ännu kantad av stora, smutsiga snödrivor – där var det ännu vinter, en sjuk och utlevad vinter. Men inne i staden, där lyste gatorna blanka och rena i solen, Norrström glittrade och brusade och skummade vitt, och i Kungsträdgården gingo redan de första små svartmuskiga fattiga italienarna och sålde små ballonger, röda, blå och gröna – där kunde man tro att det var vår på allvar.

En dag vid tretiden gick Arvid i en av Kungsträdgårdens alléer. Plötsligt stötte han på Filip Stille. De stannade och pratade och följdes åt ett stycke.

– Tack för att du skickade krans, sade Stille. Det var ju snällt och vänligt.

– För all del...

– Och du går provår vid Norra Latin?

– Nej, jag avbröt provårskursen. Som du kanske vet har jag kommit in på "Nationalbladet".

– Ja, men jag tänkte i alla fall... Nå, den banan är kanske också bättre.

De sågo på avstånd två högväxta gamla herrar, som alla veko åt sidan för och som alla herrar togo av sig hatten för. Det var kungen, åtföljd av överhovjägmästaren.

De tego bägge. Filip Stille hörde tydligen till dem som ovillkorligen känna sig litet högtidliga, när det finns en kung i närheten. Och Arvid Stjärnblom hade ingenting att säga. Då kungen passerade, blottade de sina huvuden.

– Har du hört något från din bror? frågade Stjärnblom.

– Jo, han har en bra plats därborta, vid en stor ingen-jörsfirma. Han reder sig nog. Och för resten, tillade han, visade sig boet efter far inte vara så dåligt som man skulle tro. Att han inte hade kunnat lägga av något, det visste vi ju; men skulder hade han inte heller, och det visste vi också. Men han hade en liten samling av "gamla mästare", de flesta förstås rätt osäkra eller okända, som han under tidernas lopp hade kommit över för nästan ingenting, och ett par av dem gick upp till rätt vackra priser på Bukow-skiauktionen. En del konstsaker och pretiosa fanns det ju också. Det hela blev inemot åtta tusen kronor. Det är ju inte mycket, i synnerhet när det skall delas på tre. Men vi två bröder har ju kommit till den punkt, då vi skall försörja oss själva. Och Lydia reder sig nog.

De skildes åt vid hörnet av Arsenalsgatan. Stille skulle åt Östermalm, Stjärnblom skulle ingenstans för ögon-blicket, men sade att han skulle till tidningen.

"Lydia reder sig nog."

Han hade sagt det med ett litet gåtfullt, litet hemlig-hetsfullt leende...

Klockorna i Jakob sjöngo och dånade. Det var en gam-mal ockrare som begravdes.

På Jakobs torg gick han förbi tre av "rikets herrar", som det skulle ha hetat förr i världen; statsministern med justitieministern på ena sidan och krigsministern, den magra och skinntorra veteranen från tysk–franska kriget, på den andra. Han hade sett dem ett par gånger förr från den lilla referenthyllan i det gamla nu snart utdömda riksdagshuset. Och han måste le vid tanken på de vansinniga Boccacciohistorier som cirkulerade om justitieministern, en fruktansvärt ful gubbe. Några steg bakom dem trippade Jörgen med svärtade mustascher men vitt hakskägg, klädd i en nästan fotsid, grågul syrtut.

På Gustav Adolfs torg stannade Stjärnblom ett ögonblick utanför sin tidnings depeschbyrå, där de sista telegrammen stodo uppslagna i fönstret. Det nyaste lydde: "Påven har erbjudit sin medling mellan Spanien och Förenta staterna." Som i en vision såg han dem för sig: Leo XIII:s ironiska och av ett ovanligt långt liv finslipade gubbprofil, sådan han mindes den från någon reproduktion av Lenbachs berömda porträtt, och Mac Kinley, det amerikanska storkapitalets automatiska talmaskin, språkröret för alla dem som skulle förtjäna *pengar* på kriget. Jag är rädd, tänkte han, att de två herrarna få litet svårt att förstå varandra… Och i bakgrunden tyckte han sig se några virriga och halvtokiga spanska statsmän och generaler, för vilka "Spaniens ära", det ville i det här fallet säga deras egen, var allt, och all världens realiteter ingenting… Nej, tänkte han, det kriget lär Leo XIII inte kunna förebygga…

Han kände en hand på sin axel:

– Goddag, gosse!

Det var baron Freutiger.

– Goddag… Är du inne i staden?

83

– Ja, det förefaller så. Går du med in på Rydberg? Vi kan dricka ett glas vin eller en absint, eller vad du vill. Det är för tidigt att äta middag.

De följdes åt in på Rydberg sch satte sig i en skinnsoffa i "läderkaféet" åt Gustav Adolfs torg, där man kunde se alla som gingo förbi. Arvid Stjärnblom hade ett par gånger under vinterns lopp suttit ensam i denna samma skinnsoffa – vid ett glas portvin eller något annat – och stirrat på de många okända och de få kända ansikten och figurer, som drogo förbi därutanför i snöväder eller regn. För första gången satt han där nu i vackert och underligt aprilvårväder.

– Absint? frågade Freutiger.

– Låt gå för det, svarade Stjärnblom.

Absinten kom på bordet.

Freutiger satt och såg utåt torget:

– Där gick Dagmar Randel, sade han. En söt flicka, men redan lite för nerflirtad. För närvarande har hon en liten flirt med löjtnant Warberg. Och där kommer Märta Brehm. Väldigt stilig flicka! Men hon lär ha ett barn med en medicinare som heter Tomas Weber – en flabb för resten...

Arvid Stjärnblom lyssnade förströdd. Vad angick honom dessa namn, som han aldrig förr hade hört? Om det hade varit i Karlstad, där han kände alla stadens bättre flickor till utseende och anseendet – men här, där han kände nästan inga!

– Du glömmer visst att jag är från landet, sade han.

– Ja, men du skall väl för fan bli stadsbo! svarade Freutiger.

– Är det inte Snoilsky som går där? frågade Stjärnblom. Han tyckte sig känna igen den store skalden efter porträtt.

– Jo visst. Här skall du få en historia, om du inte redan har hört den. Ibsen fyllde något för några veckor sedan – sjutti eller åtti år eller vad det nu var, och gjorde sin så kallade "storkorsturné" till brödraländerna: först till Köpenhamn, där han blev storkors av Dannebrog och hyllades med fackeltåg och fester och tal och söp sig full, sen till Stockholm, där han fick Nordstjärnans storkors och hyllades med galaföreställning och fester och tal och söp sig full. En förmiddag gjorde Snoilsky visit hos honom på Grand Hôtel, Han fann honom sittande vid ett bord, och på bordet lågo storkorsen utbredda med alla tillbehör. Han satt och såg på dem med sina bistra och allvarsamma ögon. "Ja, kära Henrik Ibsen", sade Snoilsky, "du är visst av alla skandinaviska diktare den som har fått mest av den där sorten." – "Jeg vil mene det!" svarade Ibsen. – "Utom möjligen Oehlenschläger", fortsatte Snoilsky. Ibsen rynkade ögonbrynen. Då fick Snoilsky se storkorset av S:t Olav, som låg på bordet bland de andra. "Ja, det är ju sant", sade Snoilsky, "Oehlenschläger kunde ju inte ha S:t Olav." – *"Nej, jeg vil mene det!"*

– Historien är bra, svarade Stjärnblom. Men den har passerat många stationer innan den kom till dig – och du är också en "station", och inte en av de sämsta. Skål!

– Menar du att jag sitter och ljuger?

– Visst inte, du ljuger aldrig; det vet jag. Men vill du inte tillåta mig att försöka rekonstruera episoden så, som den möjligen kan ha tilldragit sig?

– Mycket gärna.

Freutiger köpte "Aftonposten" av en tidningspojke.

– Gott. Snoilsky kommer in. Enligt din version sitter Ibsen kvar vid bordet och stirrar på sina ordnar. Men det är helt enkelt otänkbart: han skildras enstämmigt som en ytterst formell och ceremoniös gammal herre – också då han är full, och det var han ju inte vid det här tillfället. Att han skulle ha behandlat Snoilsky, som han kände sedan urgamla tider i Rom, med den minsta ohövlighet, är otänkbart. Han har alltså rest sig, gått honom till mötes och sagt "goddag" eller något annat. Hans ordnar ligga på bordet, kanske av en tillfällighet – de skulle kanske just packas ned i en koffert. Snoilsky tar fatt i dem som närmaste samtalsämne, talar lite lätt och halvt skämtsamt, Ibsen svarar sitt "jeg vil mene det" – troligtvis också litet skämtsamt och ironiskt menat, men med sin tyngre naturs tyngre betoning...

– Det var som satan! utbrast Freutiger, som satt och ögnade i Aftonposten.

– Vad är det? frågade Stjärnblom.

– Se själv!

Han räckte honom tidningen och pekade på en förlovningsannons.

Och Arvid läste:

MARKUS ROSLIN
och
LYDIA STILLE

– Vad ger du mig för det? sade Freutiger. Den flickan nöjer sig inte med småsaker! Markus Roslin – minst sex hundra tusen.

Arvid sade ingenting. I detta ögonblick var han tacksam för Freutigers prat. Så att han slapp säga något själv. Han var rädd att hans röst kunde förråda något.

– Kan du tänka dig, Arvid: hon är *den enda* flicka jag nånsin har älskat – allvarsamt, förstår du! Två veckor efter att gubben Stille var död skrev jag och friade till henne. Ärbart och juste, som jag tror, och med exakta siffror beträffande min förmögenhet: litet över två hundra tusen. Jag fick svar per omgående, undertecknat "högaktningsfullt". Då kan du ungefär tänka dig innehållet. Nå, då tänkte jag förstås att hon tyckte jag var för gammal – fyrtiosex år, och hon nitton – och kunde inte låta bli att beundra hennes ståndaktighet inför en utsikt till god försörjning. Men Roslin är över femtio. Det var alltså inte det som var felet med mig – åldern. *Det* var det alltså inte!

– Kära Freutiger, sade Arvid – han tyckte sig höra sin röst som en främmandes, långt bortifrån, inte tror du väl ändå på allvar, att skillnaden i förmögenhet har varit det avgörande för henne? Pengar måste man ju ha för att leva. Men litet mer eller litet mindre – det har hon säkert inte tänkt på…

Freutiger strök sig över ögonen.

– Ånej. Det har hon väl inte. Hon har väl alltså bara tyckt, att Roslin var litet skapligare än jag. Och så kan hon ju vänta att bli änka några år förr med honom än med mig – vi skall hoppas att hon snart gör kål på honom, han är en klen stackare... Att hon skulle vara kär i honom är ju uteslutet. – Vill du äta middag med mig? Vi skall äta gott och supa som fan!

– Tack, men jag kan inte, svarade Arvid Stjärnblom. Jag måste vara på tidningen klockan fem.

Han ville bli ensam.

*

Han hade ingenting på redaktionen att göra vid denna tid. Men han gick dit i alla fall.

Han gick genom några av rummen. Det var tomt överallt.

Han blev stående vid fönstret i Torsten Hedmans rum. Det var kvavt. Han slog upp ett fönster.

Från en bakgård i närheten hördes ett positiv. Det spelade "Kväsarvalsen" – slagdängan för dagen.

– Hon – hans älskade – hon – som han hade kysst i skymningen bakom syrenhäckarna – hon – hon...

"Ud vil jeg, ud, o saa langt langt langt."

Det betydde alltså: bröllopsresa till Rivieran, Italien,

kanske Egypten...

Han stod och dillade på dessa ord:

"Ud vil jeg, ud, o saa lang langt langt."

Hans blick föll på soffan. Där hade de suttit – sist. Och i dörren, då hon skulle gå, hade hon sagt: Jag vill! Men jag törs inte!

Plötsligt mindes han sin tanke den gången hon hade sagt: jag kan vänta. Han ville inte ha någon som gick och väntade!

Nu hade han ju fått det som han ville. Det gick ingen och väntade på honom. Ingen alls.

– – – Tjutande som ett vilt djur kastade han sig i soffan.

II

– – – *"Man väljer inte sitt öde. Och man väljer
lika litet sin hustru eller sin älskarinna eller sina
barn. Man får dem, och man har dem, och det
händer att man mister dem. Men man väljer
inte!"*

*

Det gick år.

Arvid Stjärnblom arbetade på tidningen. Han hade
efter ett par år blivit ordinarie musikrecensent. Efter den
kvällen, då han av en tillfällighet fick recensera fröken
Klarholms debut som Margareta i Faust, hade han på
lediga stunder läst nästan allt som fanns att läsa om
musik i Kungliga Biblioteket. Och då han dessutom var
en smula musikalisk, fick han vid första lämpliga tillfälle
efterträda den ordinarie, som var sjuk litet för ofta, och
efter ett par, tre år hade han en lön av 2,400 kronor om
året från tidningen, naturligtvis med skyldighet att göra
allt möjligt och vad som helst dessutom. Tidningens eko-

nomi var ännu inte så konsoliderad, att den kunde betala ut så mycket pengar bara för musikrecensioner. Men den gick framåt, det kunde var och en se: prenumeration och annonser ökades, och samtidigt växte den i omfång som en med livsfrukt välsignad kvinna. Olyckligtvis växte på samma gång driftskostnaderna i ännu större skala – påstod Markel. Vem som betalade, visste man inte riktigt. Henry Steel hade för länge sedan tagit sin hand från "Nationalbladet"; efter honom hade kommit en annan och sedan ännu en annan, och vem som nu hade den ovanligt dyrbara aktiemajoriteten i sin portfölj, det visste man inte riktigt... Men dr Doncker åkte omkring i droska omväxlande med automobil – att skriva fick han numera nästan aldrig tid till – och på avlöningsdagarna var det alltid pengar i kassan.

– Kommer du ihåg, hade Stjärnblom vid något tillfälle sagt till Markel, kommer du ihåg vad Balzac kallade tidningarna? *Ces lupanars de la pensée.* – "Dessa tankens horhus."

– Hm, hade Markel svarat. Sa han det, den djäveln?

– Ja, han sa det.

– Sa han verkligen *tankens?* Det var alltför älskvärt! Men han var ju också en obotlig romantiker.

Och strax efter hade han tillagt:

– Kära Arvid, du skriver om musik och för resten om vad som helst, som det faller sig. Vad har du att klaga över? Jag har smutsen och allt djävelskapet på närmare håll än du, och klagar ändå inte! Jag gör vad jag kan för att sätta krokben för så mycket skoj och humbug och dumhet som möjligt, men då jag ser att jag är maktlös, måste jag låta det gå... Du blir aldrig tvingad att skriva något som är din mening emot. Det gör inte jag heller. Men som souschef och oftast också nattvakt blir jag ofta nödsakad att mycket mot min vilja släppa igenom "lögnaktiga framställningar till allmänhetens förvillande". Det slipper du. Du skriver om musik och om vad som helst och lyfter din lön. Vad har du att klaga över?

– Jag klagar heller inte, svarade Arvid Stjärnblom. Jag kan bara inte undgå att var gång jag lyfter min lön göra den reflexionen: att utan dessa "lögnaktiga framställningar till allmänhetens förvillande" skulle det inte finnas några pengar till utbetalning av min lön.

– Ack, din lilla vita åsna, sade Markel. Du är ju inte bara moralisk, du är övermoralisk. "Lögnaktiga framställningar." Ja, herregud, det måste det ju finnas. Och oupphörligt blir man på nytt ställd inför Pilati gamla fråga: vad fan är sanning?

* * *

– Kärringen är häktad i Madrid! sade Markel i förbigående, då han passerade dörren till Stjärnbloms rum med en bunke telegram i handen.

"Kärringen" var fru Humbert. Vid denna tid, mot slutet av år 1902, var det *den stora Thérèse* och hennes kassaskåp som sysselsatte tidningarna och världen. Hon ställde till och med kronprinsessan av Sachsen och monsieur Giron i skuggan.

Men Arvid Stjärnblom tänkte på annat. Det var den 20 december: hans födelsedag. Och framför honom på skrivbordet stodo två röda rosor i ett glas. Han satt och såg på dem, förlägen och litet rörd på en gång. Det hade aldrig förr hänt att någon människa här i staden tagit notis om hans födelsedag.

Han kunde nog gissa vem de där rosorna kom från. Men för säkerhets skull hade han ändå frågat vaktmästarynglingen i tamburen:

– Var det ett bud från en blomsterhandel, eller – – –

– Nej, det var en dam.

– Ljus eller mörk?

– Ljus.

Det var alltså som han hade tänkt: Dagmar Randel. För några veckor sedan hade han varit på en ungdomsmiddag med dans hos byggmästar Randel. I en paus mellan ett par danser hade han suttit och pratat med den enda ogifta av familjens tre döttrar, fröken Dagmar. Hon hade beklagat sig över att hon var så förfärligt gammal:

– Den tjugonde december fyller jag tjugusex år, hade hon sagt.

– Ja, det är ju förskräckligt, hade han svarat. Men vad skall då jag säga, som fyller tjuguåtta precis samma dag?

– Nej, verkligen – har vi samma födelsedag, det var lustigt...

Och så vidare... Men sedan dess hade han bara träffat henne ute ett par gånger, helt flyktigt, och de hade växlat några likgiltiga ord. Och nu hade hon alltså varit här med dessa rosor.

Underligt att hon hade kommit hit till tidningen med dem i stället för att sända dem dit där han bodde...

Men hon hade väl gissat sig till att han sällan var hemma. Och hon hade alltså velat träffa honom. Men i alla fall... Att hon inte drog sig för att gå upp med blommor till en man på en tidningsredaktion, där folk springer ut och in oupphörligt... Det kunde ju ge anledning till prat...

Och hur skulle han nu gengälda hennes artighet? Skicka blommor igen?

Han granskade innehållet i sin portmonnä. Där fanns för ögonblicket inte många slantar.

Han tog pennan och skrev ett litet brev:

Fröken Dagmar Randel.

Jag tackar för Er älskvärdhet att påminna
Er något så flyktigt och tillfälligt som
det, att vi ha samma födelsedag – jag för
min del måste rodnande av blygsel bedja
Er förlåta, att jag totalt hade glömt det.
Men jag kan inte neka till att jag blev
litet rörd. Under de omkring fem år jag
tillbragt här i staden har det ännu aldrig

hänt, att någon har frågat efter min
födelsedag.

Eder tacksamme
Arvid Stjärnblom.

Medan han kuverterade brevet, kom Markel in i rum-
met:

– Det är sant, sade han, det var en sak jag måste säga
dig – jag såg händelsevis flickan, då hon var här med
blommorna – akta dig, för fan! Gubben Randel har
genomruttna affärer!

– Det har du talat om för mig förut, sade Stjärnblom.
Men jag inser inte riktigt vad de här två rosorna ha att
göra med affärer.

– Jaså, du inser inte det? De där rosorna kosta två kro-
nor stycket, minst. Flickan vill bli gift!

Stjärnblom brast i skratt:

– Men snälla Markel, sade han, du vill väl inte inbilla
mig att jag med mina 2,400 om året i hennes ögon skulle
vara "ett förmånligt parti"?

– Ack nej, den saken har hon alls inte något begrepp
om – hon tror att hennes far är rik och att hon själv är ett
förmånligt parti: och *hon vill bli gift!* Akta dig, gosse! För
resten har jag inte tid att prata om struntsaker mera...
Doncker är nervös som fan – han har fått korn på en ny
millionär, en Rickson! Bara namnet är ju pengar värt!
Och det gäller att klara årsskiftet! Men där är ju Henrik

96

Rissler – vad vill du?

Rissler stod i dörren:

– Sälja en novellett, svarade han. Pris 50 kronor. Men jag har bråttom – skall Doncker läsa den först innan jag kan få pengarna?

– I helvete, svarade Markel. Doncker har numera aldrig tid varken till att läsa eller skriva. Om det här får gå ett par år till, blir han analfabet!

Markel utanordnade i största hast 50 kronor. Det var Risslers taxa numera. Han hade för ett år sedan haft en liten nätt succé med en liten nätt bok.

Henrik Rissler gick, och Markel också, men i dörren vände han sig om och sade:

– Akta dig! Förr i världen var det mannen som sökte sig en kvinna. Det är gammalmodigt nu; nu är det kvinnan som söker sig en man. Och hon skyr inga medel!

*

Arvid satt i tankar. Han satt och tänkte på den där kvällen hos Randels och på hur han hade blivit bjuden dit. En dag i november hade han suttit ensam i en skinnsoffa i Rydbergs kafé, vid tretiden, och sett på skuggspelet av förbigående därutanför. Bland andra såg han arkitekten Randel, byggmästarens yngre son – den äldre var präst – och ett par ögonblick efter kom Hugo Randel in i kaféet, såg sig omkring, upptäckte Arvid ensam i en soffa och gick fram och slog sig ned hos honom. De hade träffats några gånger i glada lag och voro du.

– Här skall du få se! hade Randel sagt.

Och han hade dragit upp några ritningar ur fickan. Det var ett förslag till omreglering och ombyggnad av ett av de mest centrala, men fulast bebyggda och i avseende på trafikleder sämst lottade kvarteren i Stockholm.

Arvid studerade projektet, gjorde frågor och fick svar och försökte att sätta sig in i detaljerna. Det hela förefoll honom som en god idé – om den var utförbar kunde han inte göra sig någon mening om.

– Vad tycker du om det? frågade Hugo Randel.

– Bra – men vad betyder det? Jag begriper ju inte mycket av det här.

– Men skulle du inte kunna få in det i din tidning? Jag vill naturligtvis inte ha något för det – vill bara ha det offentliggjort.

– Jag kan ju försöka. Men jag har ju inte något inflytande.

De sutto tysta en minut och sågo på skuggspelet därutanför.

Där gick den. Och där gick den. Och där kom Elin Blücher...

Elin Blücher var en hög och smärt och mörklagd ung flicka med ett blekt och intressant ansikte. Han visste så gott som ingenting om henne annat än att hon hette Elin Blücher. Men han såg henne ofta ute och hade sedan ett halvår eller så ett litet hemligt svärmeri för henne.

– Där gick Elin Blücher, sade Hugo Randel.

– Känner du henne? frågade Arvid.

– Ja då. Hon är god vän med min syster Dagmar och umgås mycket hemma hos min far.

– Vådligt stilig flicka.

– Tycker du? Nå, var och en har sin smak. Känner du henne?

– Inte alls. Har bara sett henne ute.

– Om du vill träffa henne så kan jag ordna det för dig. Det skall bli en ungdomsmiddag med dans hemma hos pappa om en vecka eller så. Vill du komma med så skall jag styra om att du får en inbjudning. Och där träffar du Elin Blücher.

– Ja, tack, varför inte… Men får jag se ett tag till på ditt omregleringsförslag.

Och han studerade projektet allvarligt och länge.

– Jag skall göra det lilla jag kan för att få in det i tidningen, sade han. Allt som rör förändringar i stadens fysionomi har ju alltid sitt intresse. Men du har väl litet text också till planerna och profilerna och allt det här?

– Ja, men den har jag inte på mig. Den kan jag lämna dig i morgon. Och du kan ju själv vara hygglig och sätta litet journalistisk piff på det.

Så hade de skilts med ett handslag. Ett par dagar senare stod Hugo Randels projekt med planer och profiler och text i "Nationalbladet" och väckte intresse och diskuterades. Och en vecka senare var Stjärnblom en av gästerna

på en ungdomsmiddag med dans hos byggmästar Randel
– direktör Randel kallades han.

Och han hade träffat Elin Blücher där och dansat med
henne och talat med henne – om vädret, eller om madame
Humberts kassaskåp eller om något annat. Och från det
ögonblick han hade *talat* med henne var förtrollningen
bruten. Hon var fortfarande en mycket söt flicka – men
något helt annat än han hade tänkt sig. Något... något
vanligare. Hon snaskade konfekt och tycktes inte ha en
tanke för annat.

– – – Men ett par gånger under kvällens lopp hade
han sett fröken Dagmar Randels ögon fästa på sig med
ett uttryck som tycktes säga: du är visst en snäll gosse.
Vill du leka med mig?

* *

Stjärnblom var på väg till Du Nord för att äta middag.
Klockan i Jakob visade halv fem.

Det ville inte bli någon riktig vinter – mulna och
gråkalla dagar och ibland litet snöblandat regn. Arvid
längtade efter snö. Och han tänkte på sitt avlägsna fäder-
nehem, där den gamle nu fem vintrar å rad hade suttit
ensam vid julbordet. Arvid hade två bröder, bägge flera
år äldre än han. Men den äldste, Herman, blev ingenting
eller något ännu värre, fick respengar till Amerika och
var borta sedan många år. Den andre, Erik, var läkare vid
ett sjukhus i en liten stad på västkusten. Och Arvid hade

ännu inte under dessa fem år kunnat komma lös från tidningen någon jul – julen och årsskiftet äro tidningarnas hetaste tid, liksom postens och järnvägarnas...

– Men det var sant, brevet till Dagmar Randel hade han ju i fickan.

Han gick till brevlådan i hörnet av Arsenalsgatan och lade ner det. I samma ögonblick han vände sig om, gick fröken Randel förbi.

Han hälsade. Hon stannade.

– Brevet var till er, sade han. Det var bara ett litet tack för blommorna. Jag känner mig ovärdig och förkrossad – jag hade ju inte sänt några blommor till er...

– Nej, varför skulle ni ha gjort det? svarade hon. Det står varken i bibeln eller katekesen, att man skall skicka blommor på födelsedagar, men man gör det om man får lust till det. Och jag fick alltså lust. – Vart skall ni gå?

– Jag tänkte gå till Du Nord och äta middag.

– Är ni mycket hungrig?

– Ånej.

Det blev en liten paus.

– Hemma äter vi inte middag förrän klockan sex, sade hon. Och det är så tråkigt att komma hem för tidigt. Vill ni inte gå en liten promenad med mig? Utåt Skeppsholmen?

... De gingo förbi Grand Hôtel, där en rödaktig ljusflod strömmade ut från baren, förbi Nationalmuseum och över Skeppsholmsbron.

På Skeppsholmen blevo de stående under det svarta

skuggskelettet av ett stort träd.

Han kysste henne.

Och han tänkte, mitt under kyssen: det fordrar ju i det här fallet den enklaste hövlighet.

De vaknade upp och stodo tysta och stirrade ut över Strömmens mörka, rinnande vatten med dess spegelgnistor och ljusspiraler från kajernas lyktrader.

Plötsligt mindes han Markels ord: hon vill bli gift.

Han smekte hennes hand:

— Kära, sade han, du har väl förstått, att jag alls inte kan tänka på att gifta mig?

Hon slog ned ögonen och dröjde litet med svaret.

— Det är något som jag alls inte har tänkt på, svarade hon.

*

De gingo litet av och an på kajen. Och hon sade:

— Jag skall bekänna något för dig. Jag hade verkligen en liten bimening med mina blommor.

Han såg upp, frågande. Och hon fortsatte:

— Jag skulle så gärna vilja ha ett arbete och en självständig inkomst. Det är så tråkigt att behöva be pappa om allting. Skulle du inte kunna skaffa mig en plats på tidningen? Att skriva om dammoder, societetsliv och sådant.

Arvid blev litet tankfull. Till dammoderna hade de

den och den, och till societetsreportaget hade de en född grevinna med ett namn ur Odhners historia.

– Det blir kanske lite svårt, sade han. Men jag kan ju försöka.

De gingo arm i arm tillbaka över bron.

– Säg mig, sade han, varför är det så tråkigt att komma hem för tidigt före middagen?

– Därför att det är så tråkigt hemma, svarade hon.

Han frågade inte mer.

Då de skulle skiljas sade hon:

– När ses vi härnäst?

Arvid tänkte efter. Kunde han inte göra sig ledig från tidningen denna kväll? Jo, det var ingenting på Operan och ingen konsert, och han hade inte åtagit sig något särskilt.

Och han svarade:

– Jag sitter hemma och har tråkigt hela kvällen. Vill du inte komma till mig?

– Hur dags?

– Klockan sju – kan du komma då?

– Jag skall försöka…

… Arvid Stjärnblom gick till Du Nord och åt middag. Han åt köttbullar med bruna bönor.

* * *

Arvid Stjärnblom hade trots sina nyss fyllda tjuguåtta år en mycket begränsad erotisk erfarenhet. Bortsett från fru Kravatt i Karlstad – han saknade henne ännu någon gång – bestod den av några flyktiga ögonblick med nattens lösa flickor, som han dagen efter med bästa vilja inte skulle ha kunnat känna igen, annat än på hatten, boan eller något liknande, aldrig på ansiktet, och av en liten söt butikflicka, som han en gång för fyra år sedan – det var samma år Lydia Stille blev gift – hade råkat göra med barn. – Det vill säga, så alldeles säkert var det inte. Hon hade en "fästman" också. Men han gjorde sig osynlig.

Men det hade förstås varit en allvarsam historia på sin tid. Han hade skrivit till sin far, till sin bror Erik och till Freutiger. Fadern hade sänt honom tvåhundra kronor av sin knappa lön – utan moralpredikan – bror Erik lika mycket, men *med* moralpredikan, och av Freutiger hade han fått vigga femhundra. Så klarades tills vidare den historien. Barnet – en gosse – hade han inackorderat hos en hederlig hantverkarfamilj i Sundbyberg, och modern hade genom Freutigers rekommendation fått en bättre plats än den hon hade förut och skötte sig väl. Och Arvid betalade regelbundet 35 kronor i månaden för barnet.

Efter denna historia hade han fattat ett beslut och gjort sig en levnadsregel; en levnadsregel som skulle vara absolut och oryggligt och utan tillåtelse för något undantag: att aldrig mer "förföra" en fattig flicka – utsikten att förföra en rik flicka tog han inte ens med i räkningen. Att kapitulera inför det nödvändiga; att hålla till godo med ungkarlslivets – det fattiga ungkarlslivets – oundgängliga smuts och vämjelighet intill en gång den timme slog, då han både *kunde* bygga hem och familj och hade funnit den, som han *ville* bygga hem och familj med.

Och nu – nu hade det beslutet och den levnadsregeln för första gången blivit satta på prov. Och han hade strax fallit för frestelsen – strax gjort ett "undantag". Och med Dagmar Randel *var* det ju också något helt annat. Han kunde i det fallet knappast smycka sig med förförarens gloria. Och då hon bjöd honom sin unga, frodiga, blonda skönhet – han hade ju varit en idiot om han inte hade tagit emot…

Naturligtvis hade hon först gjort den obligata frågan: älskar du mig?

Och naturligtvis hade han svarat: jag älskar dig.

– Ty annars kunde det ju inte bli något av.

Älska och älska…

Han hade en gång förlorat "sitt första hjärta", som det heter. Och han hade den fixa iden, att det måste gå minst sju år innan det kunde hinna växa ett nytt i stället. Men driftlivet sov inte därför – långt ifrån. Och det som nu bjöds honom var ju alltid ett paradis i jämförelse med vad han var van vid i vardagslag. Alltså hade han sagt: jag älskar dig. Men menat: *älska* kan jag inte; men jag kan göra kärlekens gärningar; dess apspel och pantomim.

Var och varannan dag smög hon sig upp till honom, helst vid sju-, åttatiden på kvällen. Han bodde i ett "möblerat rum" vid Grevturegatan. Strax före tio brukade han följa henne till hennes port. – Sedan gick han till Rydberg eller Du Nord och drack ett par viskygroggar, eller han gick till tidningen. Och en kväll sade han till Markel:

— Apropå, du tog miste om fröken Randels avsikter med de där blommorna. Hon ville inte bli gift. Hon ville ha en plats på tidningen.

— Det var ju jämförelsevis oskyldigt, svarade Markel.

**

Arvid Stjärnblom brukade under årets lopp blott växla få och korta brev med sin far; men varje nyårsafton skrev han en längre och utförligare rapport. Så också nu, nyårskvällen 1902. Han skrev:

Käre far.

Jag önskar Dig av allt mitt hjärta ett gott nytt år. Mina lönevillkor bliva oförändrade under det nya året; men dr Doncker har ställt mig i utsikt en liten ledighet i sommar, och jag hoppas då — för första gången på sex år — få återse mitt kära barndomshem.

Jag har under den gångna hösten börjat komma med på ett litet hörn i sällskapslivet i Stockholm. Ett par gånger har jag varit på middag hos generalkonsul Rubin — det är naturligtvis Markel som har fört mig in där. Man träffar där människor av många olika sorter — generalkonsuln för stort hus — och det har ju alltid sitt intresse. Hos direktör Randel — Du har kanske ibland sett hans namn i tidningarna i förbindelse med diverse projekt — har jag också varit

bjuden. Även professor Levini har varit så vänlig
och bett mig hem en afton, men tyvärr var jag just
då upptagen av en nyhet på Operan. Det var nästan
min största förargelse under den gångna hösten. Och
nu mellan jul och nyår har jag varit ute hos Freutiger
i skärgården ett par dar.

Vad mina affärer beträffar, har jag, som Du vet,
återbetalat bror Erik de 200. (Markel lånade mig
den ena hundralappen, fast han själv har rätt skrala
affärer.) Men Freutiger är jag fortfarande skyldig de
500.

Julafton är för oss murvlar en av årets få lediga
dagar. Jag for på förmiddagen ut till Sundbyberg och
hälsade på min lilla gosse. Han har ett familjedrag
– något över ögonen och pannan, något som jag inte
kan beskriva, men som ger mig visshet om att han är
min gosse.

Vad unionsfrågan beträffar, käre Far, så vet Du
ju att jag har en helt annan uppfattning än Du.
Framför allt tycker jag att Du är mycket orättvis
mot gamle Jean-Baptiste, då Du skäller ut honom
för att han inte år 1814 gjorde Norge till en svensk
provins. För det första tvivlar jag på att det stod i
hans förmåga. För det andra tvivlar jag på att vi
hade fått någon glädje av det. För det tredje var han
inte ensam om sin mening; den delades i huvudsak
av Adlersparre och Järta och andra av "1809 års
män". Men *ett* var han ensam om i den tidens

Sverige: förmågan att göra det, som blev gjort! Och om sedan hans efterkommande – varmed jag inte enbart eller ens företrädesvis menar hans efterföljare på tronen, utan hela den hittills ledande klassen av svenska nationen – ha fuskat bort hans verk, så kan det omöjligt vara hans fel!

Som sakerna nu ha utvecklat sig, har unionen blivit en svaghet och en fara för Sverige. Norge vill ut ur unionen; ditåt visa alla tecken – konsulatstriden är bara den tillfälligt valda eller tillfälligt sig erbjudande formen och förevändningen. Som sakerna nu stå, kommer Norge att begagna första gynnsamma tillfälle – till exempel ett eventuellt krig med Ryssland – att falla Sverige i ryggen. Som sakerna nu stå, är unionen kort sagt meningslös eller något ännu värre. Att, som den Boströmska regeringen tycks vilja göra, haka sig fast vid status quo: ja, det går till en tid; troligtvis går det i denna kungens tid; men det går inte hur länge som helst. Som sakerna nu stå, bör unionen upplösas, och Sverige bör taga initiativet. Denna tanke ser man då och då framkastad i högerpressen, men bara som ett litet utbrott av ilska och dåligt humör – den borde i stället sättas fram på allvar och på regeringens initiativ. Det tillskott i positiv försvarskraft som unionen (på papperet) betyder för Sverige, är löjligt obetydligt, medan däremot tvetydigheten och osäkerheten i vårt förhållande till Norge under en kritisk tid kan bli olycksdiger.

Med tvetydigheten menar jag detta: det står
i första paragrafen av Riksakten, och likaledes i
första paragrafen av Norges Grundlov, att Norge
"skall vara ett fritt och självständigt rike". Medan
Norges faktiska statsrättsliga ställning enligt samma
Riksakts fortsättning är den, att de har *autonomi*,
men icke *suveränitet*.

Käre Far: som svensk skulle Du säkert inte vara
riktigt nöjd med en sådan ställning för Sveriges räk-
ning. Kan du då förtänka norrbaggarna att de inte
äro riktigt nöjda med den för sin räkning?

Din son
Arvid.

* * *

Året 1903 satte inga särskilt djupa spår i världshistorien.
Det var det året Sverige till storhertigdömet Mecklenburg
avstod sin pantsatta överhöghetsrätt till staden Wismar.
Det var det året Leo XIII dog och kardinal Sarto blev
påve. Det var det året Alexander och Draga av Serbien
blevo mördade och Svarta Petter blev kung!

Och det var det året, då...

* *

Arvid Stjärnblom arbetade i sin tidning. Och han gjorde kärlekens gärningar, dess apspel och pantomim. Men han hade nu en gång den medfödda ärelystnaden att försöka göra det bästa av allt, också av de glädjesmulor livet bjöd honom – på det sättet gick det till, att han i vissa stunder och ögonblick till och med lyckades övertyga sig själv om att han älskade Dagmar. Att övertyga henne var ingen konst.

Giftermål var det aldrig tal om – nästan aldrig. Blott en gång under hela vintern och våren hade Dagmar snuddat litet vid ämnet.

Det var en kväll i maj – han mindes den, emedan han samma dag hade varit på Snoilskys begravning och refererat den för tidningen.

Det var i skymningen, och de voro på väg till hennes port vid Engelbrektsgatan, men blevo stående i den djupa skuggan under Humlegårdens gamla träd.

Hon sade:

– Jag förstår så väl att du inte vill gifta dig. Nästan alla äktenskap nu för tiden bli ju olyckliga. Men säg mig i alla fall: är det *bara* därför att du inte har råd till det?

Han dröjde litet med svaret.

– Jag har aldrig sagt att jag inte vill, svarade han. Jag har sagt att jag inte kan.

– Ja, men – hon såg ned i marken, med fällda ögonlock, men pappa har sagt, att om jag gifter mig så bidrar han till hushållet med två tusen om året, som han gör med Eva och Margit.

Eva och Margit voro hennes två gifta systrar.

– Men kära, svarade han, inte vill jag ställa mig i något slags ekonomiskt beroende av din far. Hittills har jag ju kunnat reda mig själv, någorlunda.

Och han tillade, med en känsla av att varje ord kunde vara viktigt:

– Jag vill vara alldeles uppriktig mot dig, eftersom du frågade… Det är inte *bara* det att jag inte har råd. Det är också något annat. Jag har ett så starkt och oeftergivligt behov av ensamhet. Naturligtvis inte så, att jag vill vara ensam alltid, alla stunder på dagen. Men jag vill ha rätt att börja och framför allt sluta min dag ensam. Att tänka ensam, och att sova ensam. Jag tror inte att jag passar för äktenskap och familjeliv.

De stodo tysta några ögonblick. Från en bänk i närheten hördes två viskande röster. En kvinnoröst: "Men du har ju lovat…" Och en mansröst: "Ja, vad lovar man inte…"

Arvid och Dagmar möttes i ett leende.

– Vi ha åtminstone inte lovat varandra något, sade han. Och tycker du inte också att det är bäst så?

– Jo, svarade hon. Och jag förstår dig ju så väl.

Han följde henne till hennes port. Sedan gick han till tidningen. I Torsten Hedmans rum, som han fortfarande begagnade när det var ledigt, fann han professor Levini vid skrivbordet.

– Ursäkta, sade professorn, tar jag upp platsen? Men jag är strax färdig…

– För all del, herr professor… Får jag bara lov att telefonera ett ögonblick.

Han telefonerade ner till källaren och bad om ett avdrag av sitt begravningsreferat.

– Det är sant, sade professor Levini, ni var ju på begravningen – var det inte en skandal? Var det inte förfärligt? Jag menar prästen! Det var nästan ännu värre – på sitt sätt – än då han för åtta år sedan i Klara kyrka pratade strunt över Viktor Rydbergs lik och anvisade honom plats i "förgården" – till det heliga och allra heligaste har han förmodligen själv nycklarna! Och till lön – "likstol" hette det förr i världen – fick han Viktor Rydbergs stol i akademien!

En tryckeripojke kom upp med avdraget.

– Får jag se? sade professor Levini.

– Var så god.

Levini ögnade hastigt igenom remsan. Då han kom till referatet av prästens tal, myste han i sitt svarta skägg. Talet var refererat kort och summariskt och utan kommentarer. "Som ett vittnesbörd om Carl Snoilskys varma religiositet framhöll predikanten, att den döende skalden utan protest hade tillåtit psalmsång i sjukhusets korridorer och trappor"… "Predikanten slutade med att uttala den varma förhoppningen, att den bortgångne skalden, som i lifstiden hade stått sin jordiske konung så nära, också måtte komma att stå sin himmelske konung lika nära."

– Det är ohyggligt, sade professor Levini. Ja, ni kan skratta åt det, herr Stjärnblom – men tänk i alla fall på en sak: denna sagolika gamla forntidsrelik sitter i Svenska Akademien och är med om att bestämma vilka som skall ha Nobelpriset!

Markel stod plötsligt i dörren:

– Nå, sade han, det är väl den minsta olyckan. Det kan väl göra detsamma vilka som får Nobelpriset. Nobels testamente var ett idiottestamente, och det är ett olösligt problem att försöka exekvera det på något förnuftigt vis.

– Men jag har ett par ord att säga dig privat, Arvid. Kom in här!

Han drog Arvid in i ett halvmörkt rum, "utrikesministerns" rum. Och han stängde dörren till det andra rummet.

– Sätt dig här, sade han. Fröken Dagmar Randel har varit häruppe tre eller fyra gånger under sista tiden och frågat efter dig. Alltså är det något mellan dig och henne. Jag förutsätter tre möjligheter. Den första är den, att du är blixt kär i henne. Om det är så, har jag bara att tiga och avvakta händelsernas gång. Och att det är så förefaller sannolikt, eftersom flickan verkligen är söt, och eftersom du inte är vidare bortskämd...

– Men snälla Markel – vad fan har du med fröken Randel att göra?

– Avbryt mig inte. Den andra möjligheten är den, att du tror dig göra ett gott parti. Men så stor idiot är du väl ändå inte. Mera sannolikt är det, att den första möjligheten är inblandad och intrasslad med den andra: att du på en gång är litet kär och tror dig göra ett skapligt parti...

– Nej, Markel, det här går för långt – vad rör det här dig?

Markel teg en sekund eller två.

– Nej, svarade han litet torrt. Rent formellt rör det mig naturligtvis inte alls. – Men om du går på gatan och möter en skenande häst och rent impulsivt störtar fram och stannar hästen, så blir du kanske litet flat om herrn i ekipaget ryter till dig: vad fan rör det herrn, att min häst skenar?

Stjärnblom måste skratta:

– Din liknelse haltar, sade han. Jag kan väl inte på en gång vara hästen och herrn i ekipaget?

– Den haltar inte alls, svarade Markel. Du är på en gång hästen och herrn i ekipaget! Skall vi tala Kant? Stjärnblom *als Erscheinung*, det är hästen, eller rättare sagt hästen skenande med ekipaget, det hela uppfattat i ett; Stjärnblom *als Ding an sich*, det är herrn i ekipaget! Hästen är Stjärnblom som medlem av sinnlighetens värld, herrn i ekipaget är Stjärnblom som förnuftigt väsen – det vill säga, inte när han uttrycker sig så oförnuftigt som herrn i det ifrågavarande ekipaget!

Stjärnblom satt tankfull.

– Vi skall inte gräla, Markel, sade han. Det är kanske orätt av mig att gentemot dig ta saken formellt. Och jag kan för resten lugna dig med att jag, på heder och samvete, inte har en tanke på att göra något "parti".

– Gott, svarade Markel. Då kommer vi till den tredje möjligheten. Det är den, att hon är kär i dig, medan du inte är kär i henne – mer än jämnt upp så mycket som varje normal man är kär i varje välskapad kvinna – men att du *begagnar* henne och hennes kärlek till förmån för dina sinnliga lustar. Och det är mänskligt. Men det är gement! Så får man inte göra! Skall vi tala Kant igen: aldrig begagna en människa – aldrig *bara* begagna henne! Det är gement!

Arvid Stjärnblom kände det som om han blev litet blek.

– Du tar fel, sade han. Det är mera invecklat än du tror. Och jag kan inte reda ut det själv. – Men eftersom vi nu ha kommit att tala om detta: vad har du egentligen för anledning att tro, att det är något intimt förhållande mellan mig och fröken Randel?

– Från din sida ingen anledning alls. Du talar aldrig om henne, och om hon kommer på tal i din närvaro, tiger du eller säger, litet förströdd, "fröken Randel". Du är diskret, och det är all right. Men vad hjälper det, när hon är barnslig och oförsiktig, skickar blommor till dig och söker dig här på redaktionen… Vaktmästarpojkarna i tamburen prata om henne och dig… Vad hjälper dig då din diskretion? Du vill inte gifta dig – nej, det har du heller inte råd till. Men det kommer inte an på vad du vill; det kommer an på, vad som sker! Man väljer inte! Man väljer lika litet sitt öde som man väljer sina föräldrar eller sig själv; sin kroppsstyrka eller sin karaktär eller färgen på sina ögon eller vindlingarna i sin hjärna. Det förstår var och en. Men man väljer lika litet sin hustru eller sin älskarinna eller sina barn. Man får dem, och man har dem, och det händer att man mister dem. Men man väljer inte!

*

Arvid Stjärnblom var rätt tankfull på hemvägen.

"Man *väljer* inte."

Han tänkte på Markel, som hade sagt det. "Man *väljer* inte."

Markel var ungkarl. Men han var insyltad i ett gammalt olyckligt kärleksförhållande till en kvinna, som inte längre var ung, men dock ännu ung nog att bedra honom med nästan vem som helst.

**

Sommaren gick.

Dagmar Randel tillbragte den med sina föräldrar – det vill säga med sin far och sin styvmor – hennes egen mor var död – på familjens lantställe i skärgården. Arvid Stjärnblom gick i staden längsta delen av sommaren. Ett par tre gånger under sommarens lopp blev han inbjuden att fara ut till Randelsborg – så hette den lilla villan på Värmdön – och hälsa på. Men han var upptagen av sitt arbete i staden. Eller rättare sagt: han vågade inte; han ville så sällan som möjligt vara gäst i hennes familj. Familjen var älskvärd och trevlig nog; men han kunde aldrig lita på Dagmars självbehärskning. Han fruktade att hon närsomhelst med ett oöverlagt ord – till exempel ett litet "du" i distraktion – eller med hela sitt sätt mot honom kunde röja det, som måste och skulle vara hemligt.

Och hon for ju i alla fall in till staden litet då och då, så att de kunde träffas.

I augusti reste han till Värmland och tillbragte ett par veckor i sitt barndomshem. Där var allt sig likt. Humlerankorna grönskade som förr kring farstukvisten. Och som förr susade vinden genom de stora gamla björkarna. Ingenstädes växa björkarna så stora och vackra som där.

Den gamle var sig lik, blott litet vitare i huvudet än för sex år sedan, och kanske ännu litet mera fåordig än då. Samtalen mellan far och son formade sig mest som korta intervjuer – korta frågor av den gamle, och litet längre svar.

– Artar gossen sig bra?

– Ja, han är kvick och rar. Bokbindarn och hans hustru är förtjusta i honom.

– Och modern?

– Hon arbetar i sin affär och har väl inte så ofta tid att se till honom. Jag har ju oftare ärende ut till Sundbyberg; bokbindarn binder mina böcker.

– Vad kallar han dig? Gossen, menar jag.

– På sista tiden har han börjat lära sig att kalla mig pappa. Förut kallade han bokbindarn pappa och mig farbror.

– Hm. Hur gammal är det han är – fyra år. Han är snart i den åldern att han bör komma i en familj av den klass som hans far hör till. Jag ville gärna ha honom här; här är friskt och sunt för en pojke att växa upp. Men jag är gammal och skall väl snart dö. Och gamla Sara har inte mycket förstånd på barn, är jag rädd. Hon har visserligen haft ett själv, men det var för mer än femti år sen...

Gamla Sara, hushållerskan, kom ut med punschbrickan.

– Skål, Arvid.

– Skål, far.

Och efter en paus:

– Hur gick det där egentligen till?

– Jag var kär, svarade Arvid. Men inte egentligen i henne. Jag var kär i en flicka som jag inte kunde få, därför att jag inte kunde försörja henne. Hon gifte sig med en förmögen man, och det gjorde hon naturligtvis rätt i. Men i samma hus som jag bodde en ganska söt ung flicka, som var biträde i en enklare herrekiperingsaffär i Kungsbacken. Jag köpte litet hos henne ibland, och ett par gånger, då jag kom vid stängningsdags, hade vi sällskap hem. Och vi kysstes litet i trappan. Och den kväll då hon, som jag var kär i, höll bröllop, ville jag också hålla bröllop. Och gjorde det alltså.

– Hm. Konstig moral nu för tiden. – Men för resten har moralen visst alltid varit litet konstig.

– Men till hennes heder måste jag säga, sade Arvid, att hon själv hade en instinktmässig känsla av det tillfälliga och slumpmässiga i saken. Hon hade en "fästman", som hon kanske älskade ungefär så mycket som jag älskade henne, eller kanske inte ens det… Men både kvinna och man grips ju ibland av instinkter och begär, som det inte är så lätt att få in under någon sorts rationell eller moralisk synvinkel.

– Jo, jo, sade den gamle. jag vill minnas att jag har hört talas om det.

De blev en liten paus.

– Hon pockade alltså inte på giftermål?

– Inte ett ögonblick. Hon fattade det bara som en olyckshändelse. Och då jag – inte med egen kraft, det vet du ju, far! – hjälpte henne ut över "olyckshändelsen", var den saken klar. Och nu seglar hon sin egen sjö och söker aldrig någon kontakt med mig. – Hennes "fästman", som jag aldrig har sett och som ändrade vistelseort så snart det började osa bränt, var kanske en högst ordinär företeelse. Och jag var kanske för henne sagan, äventyret – vad vet jag? Vad vet jag om hur livet formar sig i en liten fattig butikflickas tankar och drömmar? – Men hon har aldrig sedan sökt mig på något sätt.

– Ser du henne någon gång?

– Mycket sällan. En gång ha vi träffats i Sundbyberg. Hon har bett mig att inte handla i den affär där hon nu är. – Hon ville glömma, sade hon. Men jag brukar skicka henne någon liten present till julen.

– Jag ville ändå bra gärna se din gosse, sade den gamle. Och jag har tänkt på en sak. Vi har fått en ny präst, som du vet. Ljungberg heter han. Han har varit gift i sex år och har inga barn. Han kanske kunde ta din pojke för detsamma i månaden som bokbindarn, eller om han ville ha mera så kan jag betala det. Förra året betalade jag det sista av mina gamla skulder, så att nu reder jag mig och har litet över. Men det är ju sant, du är fritänkare, du vill kanske inte låta din pojke växa upp i ett prästhus?

– Det betyder mindre, om han annars är en hygglig karl. Jag tror att det är bäst för ett barn att få ungefär den uppfostran, som landets och tidens barn i allmänhet får. Jag tror inte att det i regeln går bra att uppfostra ett barn till den eller den bestämda lifsåskådningen. Det slår ofta ut i motsatsen. Hellre låta honom själv, när tiden kommer, pröva sina krafter på att hitta rätt i trasslet... Men hurdan är prästen?

– Hygglig karl, inte ett spår läsaraktig utan precis som vanligt folk. Och hans hustru är litet klen och melankolisk, men annars en rar människa.

– Så. Ja, då är det ju alltid något att tänka på. Men det är en annan sak också. I fråga om oäkta barn är det modern som har föräldrarätten. Fadern har bara att betala. Det kommer alltså an på vad hon säger om saken.

– Nå, så skriv och fråga henne!

Arvid skrev till Alma Lindgren, framställde saken och frågade om hennes mening.

Under tiden talade den gamle med kyrkoherden Ljungberg och hans hustru om saken. De ville gärna ta gossen, men som eget barn och utan betalning.

– Det går han aldrig in på, svarade jägmästar Stjärnblom. Då låter han hellre pojken stanna hos bokbindarn!

Arvid gick till kyrkoherden för att själv sköta förhandlingarna. Kyrkoherden var en man på omkring fyrtio år, starkt byggd och med ett godmodigt och intelligent ansikte. Hans fru var en vänlig, men litet blek och tunn kvinna i trettioårsåldern.

Arvid sade:

– Herr kyrkoherde. Jag är född och uppfödd här i socknen och vet alltså, att pastoratet till utsträckningen är mycket stort, men till invånarantal och inkomster ganska litet. Så mycket lättare är jag naturligtvis på det klara med, att ert tillmötesgående i fråga om min lille gosse är dikterat av ren människokärlek. Men det anses allmänt, att fadern bör sörja för sina barn så gott han kan. Det har jag hittills gjort och vill försöka göra det fortfarande.

– Anna, ropade kyrkoherden till sin hustru, får vi litet konjak och vatten!

De sutto på en humlekransad veranda.

– Ja, sade kyrkoherden. Det är en ståndpunkt som jag förstår och högaktar.

De blevo överens om fyrtio kronor i månaden.

Arvid Stjärnblom frågade, vad kyrkoherden hade för intryck av det sedliga tillståndet i församlingen.

– Utmärkt. Mord har inte förekommit sedan 1823. Dråp förekom senast 1896, men var närmast att rubricera som olyckshändelse. Stöld förekommer ungefär en gång var fjärde år, snatteri något oftare. Otukt är den enda synd som blomstrar lika kraftigt här i socknen som i alla andra;

men det förenklar saken, bröllop och barndop slås ihop. Och för resten är jag väl inte så lastgammal att vi inte kan lägga bort titlarna? Student 81. Skål, bror!

– Tack. Skål!

*

Efter några dagar kom svar från Alma Lindgren.

– – – "Jag kan ju ändå ingenting vara för min lilla Ragnar. Och det skulle vara illa gjort av mig att sätta mig emot, att Arvid och Arvids far ställer allt till det bästa för honom" – – –

* *

I september var han åter i Stockholm.

Den första kväll Dagmar besökte honom efter hans hemkomst, hade hon knappt kommit inom dörren förrän hon brast i hejdlös, skakande gråt.

– Men barn... Hur är det, har det hänt något...?

Hon grät och grät.

Äntligen hade hon lugnat sig så mycket att hon kunde tala:

– Min styvmor har fått höra något prat om oss. Och så skvallrade hon strax för pappa. Det var inte av elakhet, för hon är inte elak; men hon lever i skvaller. Och pappa blev förskräckligt ond och tog mig i förhör. Först tänkte jag förstås på att neka, men jag var så skamsen och förvirrad, så jag kände på mig att jag inte kunde. Och så sade jag...

– Ja, vad sade du?

– Att vi var hemligt förlovade.

Han teg. Och hon teg.

– Ja, sade hon till sist, vad ville du annars att jag skulle ha sagt?

– Nej – nej visst... Du kunde väl inte gärna säga något annat. – Nå, och vad sade din far?

– Först kallade han mig slyna och allt möjligt fult. Men sen lugnade han sig och sade att han stod vid de tvåtusen om året, om det kom till giftermål. Och om dig sade han ingenting ont.

... Han stod vid fönstret med händerna på ryggen och såg ut i septemberskymningen. "Hemligt förlovad." En ensam stjärna glimtade svagt på den bleka höstskymningshimlen. Så: nu var han alltså hemligt förlovad. Det var en överraskande nyhet...

Hon smög sin arm om hans hals och sin mun till hans öra:

– Är det verkligen så rent omöjligt för dig att gifta dig?

– Nog förefaller det mig så tämligen omöjligt, svarade han.

Hennes arm släppte hans hals. Och de tego bägge. Och han stirrade ut i det grånande, mörknande blå.

Plötsligt hörde han snyftningar bakom sig. Hon hade kastat sig framstupa på sängen och grät och grät.

Han gick till henne och tog hennes huvud mellan sina händer:

— Inte gråta, sade han, inte gråta! Vi får väl försöka det omöjliga! Liten!

... Och deras munnar möttes i en lång kyss.

*

Ett par dagar senare ringde Arvid Stjärnblom, iklädd redingot, på familjen Randels dörr.

Dagmar tog emot honom i tamburen. Hon hade förberett sin far och sin styvmor på besöket.

I stora salongen mottogs han av fru Hilma Randel, direktör Jakob Randels andra hustru.

Några år tidigare hade hon hetat något annat och varit gift med någon annan. Men då direktör Randel blev änkling, skilde hon sig i största hast från sin man och blev fru Randel. Hon var nu omkring de fyrtio — mörk, praktfull och svällande både fram och bak, och i många herrars smak ännu ganska suggestiv. Man såg henne på alla premiärer, med eller utan mannen, och på nästan alla mer eller mindre offentliga fester, och ett par gånger hade hennes toaletter blivit omnämnda i pressen. Det var de stoltaste ögonblicken i hennes liv.

Hon hade inga barn.

Fru Randel tog emot herr Stjärnblom med ett halvt

moderligt, halvt litet tvetydigt småleende:

– Ja, sade hon, lilla Dagmar har ju förberett oss på ert besök. Och det är nog så sant, som Anna Norrie sjunger i "Sköna Helena": Kärlek måste vi ha, om än aldrig så litet... Min man väntar er inne i sitt rum. Den här vägen!

Hon gick förut och visade vägen:

– Jakob! ropade hon, Ja-kopp!

Direktör Randel stod i dörren till sitt rum:

– Så, det är herr Stjärnblom, välkommen. – Ja, Dagmar har ju sagt mig hur det hänger ihop. Vill herr Stjärnblom ha ett glas punsch?

– Tackar.

Direktör Randel var en man på bortåt sextio år. Han hade ett ärevördigt, järngrått patriarkskägg med en vit strimma till vänster. Håret var vitt.

– Tja, sade han. Herr Stjärnblom är tidningsman. Och det lär ju inte vara så dåligt nu för tiden som det var förr i världen. Men i alla fall... Tja... 2,400 om året, och så ger jag 2,000, det gör 4,400, och det blir ju litet knaprigt. Men ungt folk får inte ha för stora pretentioner. Och att börja med kan vi ju lägga bort titlarna. Du får säga farbror. Skål!

– Skål, farbror.

– Skål. Tidningen, som du skriver i, går ju framåt?

– Det gör den nog.

– Jag träffade Doncker på en middag härom dagen. Han ville att jag skulle köpa aktier i tidningen.

– Här kommer jag i en så kallad pliktkollision, sade

Arvid. Som medarbetare i tidningen bör jag tillråda farbror att köpa aktier. Men som farbrors eventuella svärson måste jag avråda det!

– Tja, jag har heller ingenting att köpa för! Jag har inte ett öre! Det är dåliga tider. Men här skall du se en tavla, som jag köpte på min resa till Paris för några månader sedan.

Han skruvade upp en elektrisk lampa och förevisade en banalt och schablonmässigt målad naken kvinna på en divan.

– Vad? Är det inte läckert? Den är av en berömd artist.

– Jaså...

– Vill du se mina ordnar? sade direktör Randel. Och han gick till chiffonjén, fällde ner klaffen och drog ut en liten låda.

Han hade två "riktiga" ordnar: Vasaorden och S:t Olav. Och han visade dem i deras etuier från juvelerare Carlberg. Men dessutom var han medlem av en mängd privata ordenssällskap – Timmermansorden, Coldinuorden, Neptuniorden... Och han drog upp stora band och stjärnor, band i alla regnbågens färger...

Och till sist:

– Det här är en lönnlåda, förstår du! Här ligger mina frimurarinsignier. Men dem får du inte se! Dem får ingen se!

– Jag är inte så värst nyfiken, svarade Arvid.

– Det är bra. Men du skall gå in i Frimurarorden; det skall man göra medan man är ung. Då kan man komma långt. – Men kan du begripa vad norrbaggarna bråkar om? De ha ju precis lika mycket frihet som vi, eller mycket mera; de har det alldeles för bra, det är hela sjukan. Jag sa till kungen en gång i vintras, på Frimurarorden: Ers majestät skulle ta och flytta över en halv miljon norskar till Sverige och en halv miljon svenskar, helst bland socialisterna, till Norge och gifta dem huller om buller, så att det blir *ett* folk!

– Nå, vad sa kungen om det?

– Äh, han skratta bara. Hm. Men det var inte det vi skulle tala om. Har du några skulder?

– Det är så obetydligt att jag skäms för att tala om det...

– Nej, sjung ut bara!

– Men bästa farbror, svarade Arvid, jag har naturligtvis aldrig ett ögonblick tänkt mig att farbror skulle ha något besvär med den saken... Jag är skyldig en av mina vänner fem hundra kronor, det är alltsammans, och jag ber farbror att låta det vara en sak mellan honom och mig...

– Kommer inte i fråga! Den saken skall jag göra upp. Min svärson får inte ha några skulder! – Vem har du lånat dem av?

– Av Herman Freutiger...

– Så, känner du honom? Det är en präktig gammal gosse, jag känner honom från Sällskapet...

Fru Randel stack in huvudet:

– Nå, frågade hon sockersött, kommer herrarna till något resultat? Supén är serverad!

Direktör Randel reste sig med värdighet.

– Bed Dagmar komma in, sade han.

Dagmar kom in blygt rodnande.

– Ja, min lilla flicka, sade direktör Randel, nu får du alltså den man du vill ha. Jag hoppas att ni skall göra varandra lyckliga. Och framför allt vill jag lägga er bägge på hjärtat en liten vers ur gamla psalmboken:

Du skall ock ej bedriva hor,
ty därav kommer plåga stor.

Det är ett sant ord, det vet jag av erfarenhet. Hm! Nu tar vi oss en sup och en smörgås!

* * *

Förlovningen eklaterades på en stor middag med dans hos direktör Randel på Dagmars namnsdag. Den förnämsta av gästerna – den, som förde värdinnan till bords – var statsrådet Lundström, en avlägsen släkting till Dagmars mor, direktör Randels första hustru. Direktör Randel hade också bett Arvid föreslå ett par från tidningen. Doncker och Markel voro därför bland gästerna. För övrigt var det Jakob Randels barn och mågar och svärdöttrar och närmaste släkt. Pastor Harald Randel, äldsta sonen, med sin fru, född Platin, och sina förmögna svärföräldrar, stadsmäklar Platin och fru. Och Hugo Randel, arkitekten, med fru och förmögen svärfar. Och Dagmars systrar, Eva von Pestel med man, löjtnant på Kronprinsens husarer, och Margit Lindman och hennes man, den unge lovande fondmäklaren. Och många andra... Freutiger var också med.

Markel försökte efter middagen inleda ett samtal om norska frågan med statsrådet Lundström.

– Mum-mum, svarade statsrådet Lundström.

... Och dansen gick...

Arvid hade sällskap med Markel en bit på hemvägen. Markel sade:

– Jag är kanske illa underrättad i fråga om din svärfars ekonomiska ställning. Jag trodde att han var "paff" när som helst. Men det kan ju hända att han kan hålla sig flytande ett par år ännu på sin släkt och sina andra förbindelser. Men så värst länge går det inte...

De skildes i ett gathörn:

– Du hade kanske rätt i alla fall, sade Arvid. Man *väljer* inte!

– Nej, man gör inte det. God natt!

– God natt!

*

Arvid Stjärnblom gick hem.

Han drog som vanligt upp sin klocka och hängde den på dess lilla spik över sängen. Han lade nycklar och portmonnä och plånbok och anteckningsbok på nattduksbordet. Men ur anteckningsboken föll det en liten papperslapp på golvet.

Han tog upp den. En liten blyertsteckning. Ett höstligt slättlandskap med nakna pilar och ett stilla, grått vatten och med sträckande fåglar under en mulen himmel. Och på baksidan: "Ud vil jeg, ud, o saa langt langt langt."

Han tänkte efter. År efter år hade denna lilla blyertsteckning och dessa korta ord följt honom, vandrat över från den ena annotationsboken till den andra – och han hade väl under dessa gångna år förbrukat minst femtio annotationsböcker.

"Ud vil jeg, ud, o saa langt langt langt."

– – –

...Han tog det lilla pappersbladet och lade det i en chiffonjélåda – i en låda där han förvarade några små reliker.

* *

Bröllopet stod den 10 februari 1904 – samma dag som tidningspojkarna rusade omkring på gatorna mitt i en ursinnig snöstorm och skreko ut sina extranummer:

– *Krig mellan Ryssland och Japan!*

III

*– Men en gång i sitt fattiga liv skall man väl
dock ha lov till att försöka leta sig fram till sin
Taunitzer See...*

Arvid och Dagmar Stjärnblom levde mycket lyckligt
tillsammans. I december 1904 föddes dem en liten dot-
ter. Hon fick i dopet namnen Anna Maria. Vid dopet
skedde ett litet missöde, men det var lyckligtvis lätt
reparerat:

En kristallskål, en av lysningspresenterna, stod upp-
ställd på ett litet bord, och där bakom ställde sig prästen –
det var Harald Randel – medan gästerna stodo uppställda
i en halvcirkel. Och prästen började:

– I Guds, Faderns, Sonens och den helige Andes namn,
amen!

Här gjorde han en paus och böjde sig fram över skålen:

– Men, tillade han, vi skulle ju egentligen också ha litet
vatten i skålen...? Vattnet, han log ett nästan överjordiskt
småleende, verkar det visserligen icke, men det hör ju till
i alla fall...

Arvid tog skålen och störtade ut till vattenledningen.

– – – Nästa höst föddes ännu en liten flicka. Hon fick

namnet Astrid; och den gången var det vatten i skålen.

Det var det året unionen sprack och kungen grät och
E.G. Boström trillade av stolen, och hans efterträdare,
som var nyktrare och kallare i huvudet än vad som till-
talade ögonblickets stämning, skälldes ut och trillade
också av stolen, och en sonsons dotterson av gamle Jean-
Baptiste besteg under artistnamnet Hakon VII. Harald
Hårfagers tron!

* *

– – – Arvid Stjärnblom levde mycket lyckligt med sin
hustru. Dock kände han stundom en naggande oro för
framtiden. Och han beslöt att tills vidare inte sätta flera
barn i världen; han erinrade sig med fasa Apostlagärning-
arnas berättelse om en man "med fyra ogifta döttrar som
profeterade". Hans svärfar, Jakob Randel, höll visserligen
ännu sina affärer över vattnet, men ingen kunde säga
hur, än mindre hur länge... En dag hade Arvid träffat
Freutiger på gatan. De hade inte sett varandra på länge.
Arvid kände sig litet generad för sin gamla skuld på 500
kronor. Och han frågade om hans svärfar hade sagt något
om den.

– Tja, svarade Freutiger, det har han verkligen. Jag
träffade honom en kväll på Sällskapet, och han sa till
mig: "Hur är det, är inte Stjärnblom skyldig dig 500
kronor?" – "Äh", svarade jag, "det är väl ingenting att
tala om!" – "Nej, det tycker jag också!" sa Randel. Och

så talade vi inte mer om det. Men lite senare på kvällen fick han mig att ta aktier i "Sveapalatset" för tio tusen. Jag minns knappt hur det gick till. Och jag är rädd för att det är dasspapper. Men han hade så vältaliga och vackra och patriotiska motiv.

– – – Arvid kände sig ibland litet orolig för framtiden. Men hans hustru var en klok och praktisk och sparsam kvinna, och de redde sig, någorlunda, tills vidare. Hennes lilla krigslist med "den hemliga förlovningen" hade han för länge sedan genomskådat och både förlåtit och beundrat den – enkel men snillrik som den var. Och sedan hon nu hade nått sitt mål: att skaffa sig en man – brydde hon sig egentligen mycket litet om honom. Och denna upptäckt gladde honom:

Det här, tänkte han, bör verkligen för en gångs skull kunna bli ett lyckligt äktenskap.

En och annan småsak kunde ibland irritera honom. Som hustru till en journalist ansåg hon sig självskriven att förstå allt det, som han hade till yrke att låtsas förstå, och hon uttalade sig i sällskapslivet – den smula sällskapsliv som de inte helt och hållet kunde undgå – med den största säkerhet om allting i litteratur och konst och musik. Och hon sjöng. Hon hade en ganska stor och bra röst; men hon sjöng inte riktigt rent. Och han måste ackompanjera henne.

De kommo hem en natt från en bjudning. Hon var vid dåligt humör. Hon hade sjungit, men inte gjort någon vidare lycka.

– Du kunde inte följa med mig i ditt ackompanjemang, sade hon.

– Det var inte heller så lätt, svarade han. Människo-rösten – din röst åtminstone – kan sjunga i vilken tonart som helst; den kan sjunga i en tonart mitt emellan C-dur och Dess-dur. Det *kan* inte pianot ! Du börjar i C-dur, och tre sekunder senare sjunger du i något mitt emellan C-dur och Dess-dur. Men det kan inte pianot! Därvidlag *kan* pianisten inte "följa med"!

Och efter en sådan afton kunde det hända, att han satt upprätt i bädden och stirrade sömnlös ut i mörkret, medan hon sov vid hans sida – det kunde hända, att han stirrade ut i mörkret och viskade för sig själv:

– Den som vore ensam! Den som vore fri!

*

– – – Men i övrigt levde de mycket lyckligt tillsammans. Och åren gingo.

* * *

Arvid Stjärnblom gick av och an genom rummen i den lilla våningen vid Kungstensgatan. Till sist stannade han framför en spegel och knöt sin vita halsduk.

Dagmar var redan färdig. Det hörde till hennes förtjänster att hon alltid var färdig i god tid, när de skulle bort. De skulle på middag till generalkonsul Rubin. Det var en dag i början av december 1907.

– Får jag se, sade Dagmar, du har glömt din ring?

Arvid sökte efter den men kunde inte finna den. Det var rent oförklarligt. Han måste ha förlagt den på något märkvärdigt ställe. De sökte överallt, men ringen var borta.

Bildroskan väntade utanför porten.

– Det går inte an att vi kommer för sent till Rubins, sade Dagmar. Du får vara utan ring för en gångs skull. Den kommer väl till rätta sedan...

De åkte tysta i det trista decembermörkret.

– Tror du att kungen dör? frågade Dagmar.

Den gamle kungen låg döende.

– Det ser så ut, svarade Arvid.

Som eldflugor ilade gatornas och butikernas ljus förbi droskans fönster...

*

Generalkonsul Rubins våning vid Sturegatan – den "riktiga" biten av Sturegatan, vid Humlegården – strålade i full belysning. En betjänt och två nätta unga flickor gingo omkring och bjödo smörgåsbrickor med kaviar, gåslever och Lysholms akvavit. Generalkonsuln var en av de få svenskar, som hade nog moraliskt mod att bjuda sina gäster på norskt brännvin efter 1905. Han gick omkring bland herrarna och delade ut små lappar med bordsdamens namn och en liten kartskiss över middagsbordet. På det kort han räckte Arvid stod det: Fröken Märta Brehm. Han bjöd armen åt en smärt dam med ett blekt och fint och litet sorgmodigt ansikte, och medan en liten stråkorkester i lilla salongen spelade "Intåget i sångarsalen", tågade man ut i matsalen.

Arvid såg sig omkring vid middagsbordet. Värden hade fört fröken Ellen Hej till bords. Hon liknade en åldrad och väderbiten madonna. Värdinnans kavaljer var P.A. von Gurkblad. Det passade ju bra: generalkonsulinnan var av gammal karolinsk adel, född Grothusen... Snett över bordet såg han Freutiger nicka åt sig, och han nickade tillbaka. Freutigers bordsdam var Dagmar. Långt borta vid andra ändan av bordet skymtade han Markels härjade ansikte med den hängande mustaschen, som började bli litet grå... Och inte långt ifrån honom såg han Henrik Risslers lilla clownprofil sticka fram... Och fröken Elga Grothusen, den unga, vackra och firade och omskvallrade författarinnan, en nièce till fru Rubin...

Medan soppan – Potage à la chasseur – serverades, spelade orkestern menuetten ur "Don Juan".

Arvid Stjärnblom höjde sitt rödvinsglas mot sin bordsdam, fröken Märta Brehm. Och hon höjde sitt och böjde lätt på huvudet.

Vad skulle han tala med henne om? Han kände hennes

historia, eller trodde sig känna den. En kärlekshistoria, och ett barn... Han kunde inte i en hast erinra sig var eller av vem han hade hört det. Men han mindes att han hade hört något om att hennes ungdomskärlek var en ung medicinare, som sedan kom på allvarliga tankar och ändrade levnadsbana och nu verkade som sjömanspräst i Hamburg... Det gällde alltså att tala med henne om ungefär vad som helst, utom unga medicinare och oäkta barn och sjömanspräster...

– Är fröken släkt med den berömde författaren av "Djurens liv"? frågade han.

– Nej...

Arvid kände att han blev röd. Jag har en av mina idiotdagar i dag, tänkte han. Det har jag för resten alltid, när jag är borta på en stor middag. Jag förstår inte att folk bjuder mig. Någon särskilt upplivande middagsgäst är jag ju inte.

Men fröken Brehm hjälpte honom:

– Säg, sade hon, känner ni herr Henrik Rissler närmare?

– Nej, mycket litet. Vi ha träffats några gånger på tidningen.

– När jag ser honom, sade fröken Brehm, har jag så svårt att få något sammanhang mellan honom själv och hans böcker.

– Det var kanske, när jag tänker efter, också mitt första intryck av honom. Men han har väl heller aldrig givit sig ut för att "vara" någon av sina diktade figurer.

– Men i alla fall… Hans böcker äro så tungsinta, men själv är han alltid glad och livad, åtminstone har han varit det de gånger jag har träffat honom…

Arvid tänkte efter.

– Ja, sade han, det kan ju vara något i det. Men det kommer sig kanske av att han inte är road av att arbeta. Det är kanske därför han ser allting i svart, så ofta han ser sig ställd inför nödvändigheten att utöva sitt yrke. Men så snart han har gjort något färdigt, helst något riktigt dystert och sorgligt, så är han strax glad och livad igen!

Fröken Brehm satt tankfull.

– Skulle det verkligen vara så en diktare ser ut inuti? sade hon.

– Ja, vad vet jag… Jag är ju inte diktare.

…Man hade hunnit till fisken. Det var foreller au gratin. Musiken spelade "Die Forelle" av Schubert.

Vid sin vänstra sida hade Arvid den förtjusande lilla friherrinnan Freutiger. Freutiger var gift sedan ett par år.

Snett över bordet hörde han Dagmar säga till Freutiger: Är baron mycket svartsjuk?

Frågan var ju litet indiskret, men Freutiger svarade oförfärat:

– Förfärligt. En gång för många år sen var jag förlovad men en flicka som jag misstänkte för att vara litet lätt på tråden. Till en början var det bara en misstanke, och jag visste inte riktigt vad jag skulle tro. Men en dag i april gick jag och drev på Karlavägen. Plötsligt får jag se min fästmö komma från Nybrogatan, vända om hörnet utan att se mig och gå Karlavägen fram, ett bra stycke före mig. Min första tanke var naturligtvis att gå ifatt henne; men så föll det mig in: det kan ju vara roligt att se vart hon går. Hon gick in genom en port! Då började jag se rött! Just i det huset bodde en av dem jag misstänkte för att ha litet kuckeliku med flickan – en löjtnant, god vän till mig för resten. Han hade en ungkarlsdubblett på nedra botten – bägge rummen åt gatan, jag hade varit där många gånger och visste precis var varenda möbel stod. Jag stannade och visste ett ögonblick inte vad jag skulle hitta på – jag ville inte gå förbi hans fönster och kanske bli sedd av de två där inne och utskrattad i tysthet. Men jag ville se om gardinerna voro nedrullade. Då fick jag en idé. En spårvagn kom förbi, jag hoppade upp på den och såg i förbifarten, att gardinen var nedrullad för sängkammarfönstret! Nu var jag på det klara med vad jag skulle göra. Jag hoppade av spårvagnen. Såg på klockan: det hade ännu bara gått fyra minuter sedan hon gick in genom porten. För tidigt, tänkte jag. Tålamod i två, tre minuter till. Av en slump mötte jag en bekant, en murvel – hm, ursäkta, en journalist ville jag säga – jag hejdade honom och sade: nu skall du vara mitt vittne, och så skall du få stoff till en skojig artikel för din tidning. Han såg litet förbluffad ut, men jag drog honom med mig fram till fönstret med den fällda rullgardinen, krängde i ett ögonblick av mig överrocken, virade den kring handen och armen och slog in rutan – pang! – och stack blixtsnabbt in den andra handen och drog upp rull-

gardinen! Jag skall inte försöka skildra den syn, som, och
så vidare... Folksamling, poliskonstapel, stor procession
till närmaste polisvaktkontor! Historien kostade mig 150
kronor i böter. Men jag hade fått klarhet, och jag bjöd
murveln – journalisten, ville jag säga – och ett par andra
på en väldig middag med *stor* fylla!

Det blev ett ögonblicks andaktsfull tystnad bland
damerna i Freutigers närhet.

– Är det tillåtet att fråga – Arvid vände sig till sin dam
till vänster – vilken sens moral friherrinnan anser att man
bör dra ur den historien?

Friherrinnan svarade med halvt fällda ögonlock och
ett litet spetsigt leende:

– Att man bör hålla sig till dygden – på nedra botten...

Musiken spelade den venezianska drömvalsen ur
"Hoffmans sagor".

– Säg, herr Stjärnblom, frågade fröken Brehm, är det
av princip ni inte bär er vigselring?

– Nej, svarade Arvid. Jag gör av princip ingenting "av
princip". Jag har helt enkelt glömt den.

– *Kan* man glömma något sådant? frågade hon.

– Man kan väl glömma nästan vad som helst, svarade
han.

Och han betraktade henne förstulet. Nu först *såg* han
henne egentligen. Den lilla fina profilen under det brun-
lockiga håret. De sänkta ögonen. Den röda munnen, som
lystet sög på en sparrisknopp. Och de förtjusande små
brösten, som hoppade upp och ner i urringningen. – Hur

gammal kunde hon vara? Omkring trettio år. Det låter illa, när det är fråga om en "ung flicka" – tänkte han – men i verkligheten är det inte så illa... Och hon var ju i verkligheten snarare en ung änka eller frånskild fru... Plötsligt stod det klart för honom av vem han hade hört hennes "historia": det var av Dagmar. – Nej, allra första gången han hörde den var det Freutiger som sade, en gång i Rydbergs läderkafé åt Gustav Adolfs torg, helt kort och summariskt: hon har ett barn med den eller den. Men Dagmar hade berättat historien mera utförligt. Märta Brehm var en av hennes flickvänner.

– Skål, Arvid! ropade Freutiger. Varför har du stoppat vigselringen i västfickan?

Arvid Stjärnblom vände ut och in på bägge västfick- orna:

– Jag har inte stoppat den i västfickan, sade han. Jag har glömt den, förlagt den...

– Ja, sade Dagmar, det är verkligen sant. Han är inte av den sortens äkta män som stoppa ringen i västfickan, när det passar. Skål, Arvid!

– Skål, lilla Dagmar!

Det rådde ett oinskränkt förtroende i deras äktenskap. Det förekom aldrig några scener av svartsjuka. *Hon* kunde inte ett ögonblick tänka sig ens som den svagaste möjlig- het, att han kunde bli kär i en annan, då han hade henne. Och *han* var – av en något annan orsak – aldrig svartsjuk på henne.

– Jag vill göra er en liten bekännelse, herr Stjärnblom,

sade fröken Brehm. Jag har några små noveller liggande i en skrivbordslåda. Jag vet inte om det är något med dem; men jag ville så gärna se dem på tryck. Och om jag nu sänder dem till "Nationalbladet" – vem är det då som bedömer dem och bestämmer om de kommer in i tidningen eller inte?

– Det är Torsten Hedman, svarade Arvid. Men han är för ögonblicket i Grekland. Och jag vet inte när han kommer hem. Men under hans frånvaro är det jag som har den uppgiften, bland många andra, att läsa och bedöma insända skönlitterära manuskript.

– Vill ni då bedöma mina små försök med ett vänligt sinne? frågade fröken Brehm.

– Det faller ju av sig själv, svarade han.

Han visste inte riktigt om det var inbillning eller verklighet, men under bordet tyckte han sig känna sin högra fot smeksamt tangerad av en liten kvinnofot. Han bemödade sig att gengälda artigheten så finkänsligt som möjligt, medan de bägge stirrade rätt ut i luften med ett drömmande uttryck...

Man hade hunnit till fågeln: beckasiner. Musiken spelade Chopins "Sorgmarsch".

Det blev en underlig stillhet vid bordet.

– Vännen Rubin har sina bisarra idéer ibland, viskade Freutiger.

Betjänten smög omkring på tå och serverade ett gammalt châteauvin.

– Jag älskar Chopins sorgmarsch, sade fröken Brehm.

– Ja, svarade Arvid, men den är nu en gång skriven för piano och med alla effekter beräknade för pianots teknik. Därför måste alltid något av den gå förlorat när den skall översättas för stråkinstrument.

– Det är sant, ni är ju musikrecensent...

– Ja tyvärr. Därför blir jag tvungen att bryta upp om en stund, när vi har det som allra bäst. Fru Klarholm-Fibiger skall sjunga Senta i Holländaren, det är första gången hon går in i de stora Wagner-partierna, och jag har lovat henne att inte låta det gå opåaktat förbi... Men jag behöver inte vara på Operan förrän inemot nio, till andra akten.

Sorgmarschen var slut, och sorlet och pratet steg på nytt. Och Arvid Stjärnblom kände på nytt egendomliga förnimmelser i högra foten, förnimmelser som stego uppåt till de centralare trakterna av nervsystemet... Och han tänkte: det måtte vara någon ryslig smörja, de där novellerna hon har skrivit.

– – – P.A. von Gurkblad tolkade i korta, kärnsvenska ord gästernas tacksamhet. Man reste sig, på vissa håll med någon möda, och förde sin dam in i "stora salongen" – – –

Herrarna samlades, liksom i kraft av en naturlag, kring generalkonsulns cigarrlådor: långa, smala "Manuel Garcia", medelstora och mera fylliga "Upmann", och små nätta "Henry Clay". Och för de gäster, som inte kunde tåla eller inte tyckte om en havannacigarr, fanns det också utmärkta bondcigarrer.

Arvid Stjärnblom tog en Manuel Garcia. Han beräknade att hinna röka ungefär en tredjedel av den, innan han skulle till Operan. Han fann sig plötsligt stå mitt i en klunga mellan fröken Hej, Henrik Rissler, Markel, fröken Brehm och andra. Markel hade också en Manuel Garcia.

– Kära fröken Hej, hörde han Rissler säga, ni frågade mig vid bordet varför jag inte ville skriva på er och borgmästar Hindlagens fredsadress år 1905, och mitt svar drunknade visst i sorlet; jag märkte att ni inte hörde det. Jo; jag hade två goda skäl. Jag är inte krigslysten och blodtörstig; men för det första är jag en känd osedlig författare – det är min enda position, och den är inte ägnad att ge mig någon auktoritet i fråga om allvarsamma saker – relativt allvarsamma saker. Men för det andra...

– Snälla Hinke Rissler – fröken Hej log ett solskensleende – "osedlig författare", vad betyder det? Finns det inte tillfällen då *alla* måste vara med, när det gäller något?

– Men för det andra, fortfor Rissler, finns det tillfällen, då ett folk *måste* ge oinskränkt fullmakt åt dem, som ha ledningen och ansvaret. Så gjorde norskarna år 1905, och det var deras styrka. Därför ville jag inte vara med om något som på minsta vis kunde vara ägnat att strax från början bereda våra statsmän ringare villkor vid underhandlingarna än de norska. Det var då liksom nu min uppriktiga mening, att ett krig mellan Sverige och Norge skulle ha varit "början till slutet" på bägge rikenas historia, eller i vart fall början till en lång vargatid i bägge folkens historia... Men jag ansåg mig inte kallad att kliva fram och undervisa de ledande männen om en så självklar sak. Jag ansåg det riktigast att lita på att de begrepo det lika väl som jag. Och det tycks de ju också ha gjort!

– Jag trodde verkligen inte att ni brydde er något om politik, herr Rissler? sade Märta Brehm.

Rissler hann inte svara henne, Markel förekom honom:

– Bästa fröken Brehm, vet ni verkligen inte att Hinke Rissler för ett par år sedan var nära att bli tagen av polisen för anstiftande av upprор?

– Du överdriver då alltid, sade Rissler.

– Nej, det är fullkomligt sant. Det var en valafton för ett par år sen. Rissler och jag och ett par andra kom ut från Rydberg sent på natten. Gustav Adolfs torg var packat av folk, som hurrade för de sista valresultaten. Då fick Rissler plötsligt den idén att han skulle sätta sig i spetsen för folkskocken och gå ner till Aftonposten och *skratta!* Aftonposten hade som vanligt försökt något litet rävstreck i sista minuten, och misslyckats som vanligt. Gott: Rissler ställde sig på Gustav Adolfs torg och skränade så mycket han orkade: **N u, s k a, v i, g å, t i l l, A f t o n p o s t e n o c h** *s k r a t t a!* Och när han hade upprepat det några gånger, satte folkskocken sig verkligen i rörelse, och det gick genom Fredsgatan och förbi Konstakademien ner till Aftonposten, och där skränade Rissler, med käppen högt i luften som taktpinne: **H a, h a, h a! H a, h a, h a!** Och folkskocken stämde i: **H a, h a, h a! H a, h a, h a!** Och under en liten paus sade han till mig: tänk om jag nu blir tagen av polisen och dömd för anstiftande av upprор? – Nog blir du tagen av polisen, svarade jag, men du blir inte dömd för anstiftande av uppror, utan bara för fylleri och förargelseväckande beteende. Då bleknade han och smög sig fegt bort genom en bakgata, medan folkskocken stod kvar och skränade: **H a - h a - h a !** tills polisen kom och skingrade den…

– Kära Markel, sade Henrik Rissler, vilken diktare skulle jag inte bli om jag kunde ljuga så bra som du!

– – – Arvid Stjärnblom såg på sin Manuel Garcia. Han hade rökt ungefär en tredjedel. Och klockan var över halv nio. Han måste bryta upp och gå till Operan. Han beräknade att vara färdig med sin recension vid tolvtiden. Vid den tiden kunde han ta en bil och hämta Dagmar och köra hem.

Då han stod i tamburen och krängde på sig överrocken, såg han plötsligt fröken Brehms lilla fina huvud i springan mellan ett par portiärer.

– Måste ni gå redan? frågade hon.

– Ja, sade han.

Hon släppte portiärerna och kom tätt fram till honom:

– Och ni glömmer väl inte vad ni har lovat – – –?

Han såg frågande på henne.

– Vad har jag lovat? frågade han.

– Att hjälpa mig att få in mina små noveller i er tidning.

Han kunde inte i en hast erinra sig att han hade lovat henne det. Men hon var mycket söt, där hon stod tätt intill honom med det lilla fina huvudet böjt som en botfärdig Magdalena – varför skulle hon egentligen vara botfärdig? Med en hastig blick övertygade han sig om att ingen såg dem, så tog han det lilla huvudet mellan sina händer och böjde det ännu längre framöver och kysste henne någonstans på ryggraden. Så lyfte han upp hennes huvud igen och kysste hennes mun och sade: vi ses igen! och gick.

*

Det snöade vått denna trista kväll i december. Det var tio minuters väg till Operan. Skulle han ta en bil? Onödig utgift...

Han gick och tänkte på Märta Brehm. Och på Dagmar.

– Varför skulle inte också jag en gång i mitt fattiga liv kunna tillåta mig en liten kärlekshistoria? Man lever ju bara en gång. Dagmar är mycket bra. Men det blir för enformigt med samma kvinna dag efter dag, natt efter natt, år efter år. Jag har nu varit gift med henne i snart fyra år och bokstavligt talat aldrig varit henne otrogen. *Men*... men jag älskar henne inte! Och varför skulle inte också jag ha plats för en kärlekshistoria i mitt fattiga liv? Jag vill minnas att jag en gång i min första ungdom drömde om ett namn i Sveriges historia. Det ser inte just så lovande ut med det. Varför skulle jag inte då nöja mig med det, som tycks ligga inom räckhåll? – Dumheter. Dagmar måtte väl vara god nog åt mig. Och hon är rädd om hemmets vita gardiner; det bör jag också vara. Och fröken Brehm... Hon vill ha in sina noveller i tidningen, och på det kontot har jag fått en kyss i förskott tack vare Torsten Hedmans resa i Grekland – om han hade varit närvarande hade *han* fått den... Kan det verkligen ligga något frö till en *grande passion* i en sådan början? – Ja, den som lever får se... Han kände ännu hennes lilla spetsiga tunga röra sig som en eldslåga...

Från trottoaren längs Operan såg han på långt håll täta människoklungor utanför tidningarnas depeschfönster. I detsamma mötte han en bekant, en journalist, och han stannade honom och frågade:

– Är kungen död?

– Inte ännu.

...Han gick in i operahuset. Han hade beräknat tiden riktigt; det var mot slutet av första mellanakten då han kom in i salongen och satte sig på sin vanliga plats; publiken hade börjat strömma in. En liten flintskallig herre med sin fru – en hög och smärt och mörk, redan litet gråsprängd dam – trängde sig förbi honom till sina platser längre in på parkett. Arvid kände henne till namnet och utseendet. Hon var den dam, för vars skull Markel en gång på sista slutet av förra århundradet en kort tid hade vistats på en nervklinik. Och han visste att hon hade sett något som ingen annan levande människa hade sett: hon hade sett Markel gråta. – Hon kallades på sin tid "vandringspokalen".

Salongen var nu nästan fylld.

Runt omkring sig hörde han sorl och prat: den och

den skall skiljas från sin hustru och gifta sig med den och den... Jo, det är så gott som säkert, jag har det från närmaste håll...

Till höger om hans plats stodo ännu två fåtöljer tomma. Två damer gledo in i sista minuten och besatte dem i samma ögonblick som ljuset skruvades ner.

Lydia.

Nej...? Jo. Det var Lydia som satt bredvid honom. Tätt intill honom. Han hade ögonblickligen känt igen henne. Deras ögon möttes i halvdunklet. Blick i blick en lång sekund. Så vände hon åter bort det lilla huvudet och tycktes lyssna till musiken med halvslutna ögon.

Fru Klarholm-Fibigers stora och sköna röst fyllde rummet.

Lydia satt lätt framåtböjd med hakan stödd mot vänstra handen. Han betraktade förstulet denna lilla hand. Det slog honom strax, att hon inte bar några släta guldringar men bara en liten platinaring med en fyrkantig smaragd mellan två små diamanter. Nå, det behövde ju inte betyda något, men i alla fall... Han visste, att hennes man en tid efter bröllopet hade köpt en egendom i Södermanland, och i hans föreställning hade hon sedan dess hela tiden levat där i ett stilla familjeliv med sin lilla flicka och sin man, som han antog att hon ärade och aktade och kanske till och med höll av – ty man ser ju ibland exempel på att en äldre man kan vinna en ung kvinnas kärlek. Om det än i nio fall av tio är humbug och i verkligheten något helt annat ligger bakom... Och en pärlcollier hade hon ju också, med smaragdspänne i nacken... Precis som det skulle vara! Kärlekens belöning!

Plötsligt kände han i mörkret, att han blev röd av skam. Här satt han tätt vid sidan av sin ungdomskärlek. För första gången på nära tio år. Och det behövdes bara ett pärlhalsband med smaragdspänne för att föra honom in på låga cyniska tankar och fantasier om henne... Han frågade sig själv: vem är jag, och vad är jag på väg att bli? Har jag inte själv sålt mig till Dagmar för två tusen om året? Nå, i verkligheten var det visserligen inte så det gick till, men det är så det tar sig ut, utifrån sett... Kan det inte vara något liknande med Lydia? Kan det inte ha gått till på något annat sätt än som det tar sig ut utifrån?

Han betraktade henne förstulet. Å, herregud, vad hon var vacker! Hon var förändrad på ett sätt som han inte kunde förklara för sig... Hon var sig lik och dock en annan. Hon tycktes honom vackrare än någonsin förr, men vacker på något farligt och ödesdigert sätt. Och det hade kommit något främmande över henne. Det var något inom honom som sade: "Tag dig i akt för den främmande kvinnan!" Gå härifrån, gå till tidningen, skriv din recension, tag en bil och hämta din Dagmar hos Rubins och kör hem!

Men han blev sittande.

Det blev mellanakt. Han hörde att hon växlade ett par ord med sin sällskapsdam eller vem det nu var hon hade med sig. Damen reste sig och gick ut. Lydia satt kvar.

Arvid satt också kvar på sin plats. Det hade blivit tomt omkring dem.

Deras händer sökte och funno varandra.

De sutto tysta. Så sade hon, lågt:

– Är du lycklig?

Han teg en sekund.

– Ingen människa är väl lycklig, svarade han. Men man får väl leva ändå, så gott man kan.

Ja, sade hon. Ja, man får väl det.

Sällskapsdamen kom in igen.

De sade intet mera.

*

Efter teatern gick han till tidningen och skrev i största hast en kort, men varmt berömmande recension över fru Klarholm-Fibigers Senta. Därefter tog han en bil och hämtade Dagmar hos Rubins. Där pågick just en livlig diskussion rörande konungahusets ursprung i rashänseende. Freutiger påstod att de voro judar.

– De äro *inte* judar, sade Markel. Så långa judar har man aldrig sett! Snarare är det möjligt, att de äro araber. Det är en stark morisk-arabisk insprängning i befolkningen i Béarn. Men för resten kan det ju göra detsamma. Det är mig omöjligt att inse det skymfliga i en härstamning vare sig från det folk, som uppfann Gud, eller från det folk som uppfann siffrorna!

– Jag är för resten lite jude själv, sade Markel; jag är åttondelsjude. Min mormor var halvjudinna, och hennes far var jude. Men han lär ha övergått till den rena evangeliska läran med den enkla motiveringen: det skall fan vara jude och betala skatt till två prästreligioner, när man inte tror på någon!

– – – Arvid fick Dagmar med sig i bilen och åkte hem.

Medan hon klädde av sig, letade han fram lite visky och sodavatten ur skafferiet. Han gjorde sig en grogg och gick av och an i sitt arbetsrum, medan han rökte på en cigarr. Två, tre steg fram, två, tre steg tillbaka. Han gick och mumlade några rader av Viktor Rydberg.

Men den, vars hjärta ett skogsrå stjäl,
får aldrig det mer tillbaka.
Till drömmar i månljus trår hans själ,
han kan ej älska en maka...

Dagmar stack in huvudet i bara linnet:

– Här är din ring, sade hon, jag hittade den i min säng!

– Så, sade han.

Han gick av och an.

...Och väntar han något av åren,
så väntar han döden och båren...

Åter hörde han Dagmars röst:

– Kommer du inte snart?

Han hade stannat framför chiffonjén. Klaffen var nedfälld. Halvt i distraktion drog han ut den lilla lådan, där den gamla blyertsteckningen låg bland en del annat gammalt skräp. Den med pilskeletten och sträckfåglarna under de tunga höstmolnen. Och han vände bladet: "Ud vil jeg, ud, o saa langt langt langt." Det var skrivet högst upp i kanten. Och därunder hade han själv – han mindes inte riktigt när – skrivit dessa fyra versrader:

Höstliga pilarna nakna speglas i gråstilla vattnet,
skyarna driva lågt, vildfåglar sträcka mot syd...
Tårar skymma min blick, när jag stirrar på gulnade bilden,
fordom mig sänd i ett brev. Höstligt det blivit sen dess.

– – – Halvt i distraktion lade han det lilla bladet i sin anteckningsbok, som förr i tiden.

* * *

Nästa morgon vaknade han vid ett tungt och fjärran dån från alla stadens kyrkklockor.

Han satt upprätt i bädden:

– Nu är kungen död, sade han till sin hustru. Den gamle herrn, som har varit kung här i landet i all den tid vi ha levat...

Han gick till fönstret och drog upp gardinen. Det var

en gråmörk dimmig dag. På Tekniska högskolan snett emot vajade en gammal smutsig flagga på halv stång. Och klockorna dånade och sjöngo.

– – – Det flammade en brasa i hans arbetsrum. Han satt vid chiffonjéklaffen och hade nyss tänt den första cigarren efter frukosten. Dagmar sov ännu. Jungfrun, Augusta, kom in med ett kortbrev.

Han kände genast igen Lydias handstil och rev av kanten.

Arvid. Jag skriver detta på Hôtel Continental, nyss hemkommen från Operan. Portiern säger att det kommer fram söndag morgon. Om du vill råka mig en stund på söndag – jag reser hem till Stjärnvik måndag morgon, har bara varit inne i Stockholm några dar för att göra julinköp – så dricker jag en kopp te i matsalen kl. halv tre. Jag är ensam. Och där är nästan inga gäster vid den tiden.

Jag har inte ord för vad jag kände i går afton… Efter så många år…

Lydia.

P.S. – Bränn brevet.

Han satt i tankar. – "Hem till Stjärnvik"… Han hade sedan i går haft ett hemligt, obestämt hopp att hon kanske inte längre levde samman med sin man, att hon kanske bodde i Stockholm. "Hem till Stjärnvik"…

Han kastade brevet på elden. Det flammade upp och krullade hop sig och kolnade och blev svart.

– Skall jag gå till mötet, eller skall jag inte?

Han tog upp en tvåkrona ur portmonnän.

– Slumpen får råda. Om det blir kung så går jag, om det blir klave går jag inte.

Och han snurrade slanten på chiffonjéklaffen. Det blev klave. En gång till! – Klave.

– Nå, tredje och sista gången! – Klave.

Han blev förargad, mera på sig själv än på den envisa slanten.

– Barnsligheter! Naturligtvis går jag.

*

Staden låg i en tjock, brungrå regndimma. Det var nästan mörkt klockan tolv på dagen. Dödsklockorna klämtade. Det var söndag och människorna gledo fram tysta som i en likprocession. Poppelraden framför Tekniska högskolan stod som en spökvakt. Kungsbacken, som på vackra dagar ger en så förtrollande stadsvy med de tre kyrktornen långt borta i Drottninggatans fond, var förfärlig denna dag. "Spökslottet" var hemskare än vanligt. Vetenskapsakademiens tunga massa tycktes sova. Drottninggatan var svart i grått; det kändes som en gravstillhet mitt under klockornas dån.

Han gick upp till tidningen. Han hade numera Torsten Hedmans rum för sig ensam. Hedman var för det mesta på resor, och Henrik Rissler, som tills vidare hade övertagit hans värv som teaterkritiker, arbetade sällan eller aldrig på redaktionen men kastade ned sina korta och nedriga recensioner med anilinpenna på blocknotes vid sitt bord på Rydberg. Stjärnblom skötte sedan några veckor, utom musiken, utrikesavdelningen på förordnande. Han hade grundad förhoppning att bli "utrikesminister" på det nya året. Men det försiggick tyvärr just då ingenting särskilt därute i världen. Några efterdyningar av Eulenburgaffären och Moltke-Hardenprocessen, det var allt. Han fick fatt på "Zukunft" och bläddrade i den. Där var en artikel av Harden som intresserade honom. Han satte sig ned vid maskinen och började översätta den.

Han var nästan färdig med den då en tamburpojke anmälde en dam, som bad att få tala vid honom.

– Var så god...

Det var fröken Brehm. I första ögonblicket hade han tänkt: det är Lydia, men varför kommer hon hit då hon har stämt möte med mig på Continental?

– Fröken Brehm hade han totalt glömt.

– Varmed kan jag stå till tjänst? sade han, men tillade strax:

– Ack, det är ju sant, det var de där novellerna – har ni dem med er?

Hon studsade. Hon stod förvirrad och blev så med ens litet stel.

– Ja, sade hon, jag har tagit med mig tre. Men om jag på minsta vis besvärar...

– Å, förlåt mig, sade han, jag satt mitt i arbetet, och man kan ju vara lite diströ en och annan gång... Det skall bli mig ett nöje att läsa dem, och jag skall ge svar i morgon eller övermorgon.

– Jag tackar, sade hon. Adjö!

Och med en lätt bugning på huvudet var hon borta.

Arvid Stjärnblom kände sig vid minnet av gårdagen litet skamsen över sitt tvära och korta sätt mot henne. Och han kände sig böjd för att läsa hennes noveller med så vänligt sinne som möjligt. Så snart han var färdig med Hardens artikel och hade försett den med en orienterande inledning och ett par korta anmärkningar till avslutning, satte han sig att läsa dem. Den första var det inte något vidare med. Men i betraktande av all den smörja en stor tidningsdrake måste ha att fylla sina spalter med kunde den i nödfall passera. Den andra var alldeles omöjlig. Men den tredje fann han till sin angenäma överraskning riktigt bra. Han försåg den genast med trycksignatur och sände den ned i tryckeriet med manuskripthissen. Därefter satte han sig och skrev ett brev:

Fröken Märta Brehm.

Jag skall yttra mig om Edra tre noveller i den ordning jag händelsevis läste dem i. *Den gamla stugan* är användbar, men heller icke mera. *Månskensnatten* är oanvändbar, åtminstone för Nationalbladet. *Den röda soffan* däremot röjer enligt min anspråkslösa mening en verklig, litterär talang. Den är så bra, att Ni mycket väl kan underteckna den med Ert namn, om Ni har lust.

För "Nationalbladet"
Högaktningsfullt
A. Stjärnblom.

Han såg på klockan. Hon var tio minuter över två.

Alltså tjugu minuter. Om tjugu minuter skulle han sitta i en soffa i Continentals matsal vid Lydias sida.

Markel kom in:

— Nej, sade han, nej, vet du vad, Arvid — nu står jag snart inte längre ut med det här! I väntrummet sitter en blek och mager gammal gubbe och väntar på företräde hos Doncker. Tamburpojken säger till honom: doktor Doncker är upptagen. — Ja, så väntar jag, säger gubben. — Lundqvist, redaktionssekreteraren, går förbi; gubben frågar: träffas doktor Doncker? — Han är upptagen, säger Lundqvist. — Tre eller fyra av våra yngre medarbetare passera rummet, gubben frågar var och en av dem: träffas doktor Doncker? Och de svara alla: doktor Doncker är upptagen! Av en händelse fick jag nyss reda på att Doncker reste till Berlin för en vecka sedan, och att han ännu inte är återkommen. Han har alltså varit borta från tidningen i en åtta, tio dar utan att någon kristen själ, från tamburpojkarna till mig, har märkt hans frånvaro!

– Nå, det var ju en nätt prestation…

Markel tog en korrekturremsa från bordet och ögnade igenom den.

– Nej, vad är nu det här? sade han. Anton Ryge har skrivit en dialog, där en av personerna kallar Gustav Vasakyrkan för "Odenkyrkan". Men korrekturet tycks ha fattat det som ett sakligt misstag och rättat det till Gustav Vasakyrkan! Det påminner litet om något som en gång hände Gunnar Heiberg med en artikel i Verdens Gang. Han hade studerat det underliga ansiktsuttrycket hos folk som kommer ut ur kyrkan, "isär når de har spist sin gud". I korrekturet stod: "prist sin gud". Han rättade felet och bad om nytt korrektur. Och där stod det om igen: "prist sin gud". Heiberg gick in till chefen och förelade honom saken: dette her er jo meningslöst, sade han, der må väre en eller anden hellig idiot der inne på korrekturet! Priser sin gud gör folk jo hver gang de går i kirken, men spiser ham gör de ikke hver gang! – Det kan du rolig overlade til mig, sa chefen. Jeg skal nok passe på at det blir : *spist* sin gud. Så gick Heiberg hem. Och nästa morgon läste han i tidningen: *prist* sin gud.

*

Arvid gick över Klara kyrkogård. En och annan lykta flämtade redan genom regndusket. Han gick inte närmaste vägen, genom Klara Vattugränd, ty klockan fattades ännu några minuter i halv tre. Han stannade ett ögonblick vid Bellmans grav. Regnet droppade sakta från de bägge små magra trädskeletten vid graven.

Och klockorna dånade och sjöngo.

Han gick ut till Klarabergsgatan, vände om hörnet och gick in i Hôtel Continental, lämnade hatt, rock och käpp åt vaktmästaren och gick ett par steg in i matsalen och såg sig omkring. Den var så gott som tom. Två herrar sutto vid ett fönsterbord. Eljest var ingen att se, och salen låg i halvmörker med två eller tre glödlampor tända. Lunchtiden var slut, och det var ännu långt till middagstiden.

Arvid gick längst in i bakgrunden av matsalen och beställde en kopp te. Han hade knappt hunnit beställa förr än Lydia kom:

– Två te, sade han till vaktmästarn, och smör och rostat bröd.

Vaktmästarn skruvade upp en glödlampa och försvann med ljudlösa steg över den tjocka mattan.

De hade flyktigt och formellt tryckt varandras händer. Han vågade knappt se på henne.

Hon hade dagens nummer av "Nationalbladet" med sig. Hon vecklade ut det och pekade på hans recension av fru Klarholm-Fibiger som Senta i "Holländaren":

– Gjorde hon så starkt intryck på dig? frågade hon.

– Jag minns inte, sade han, vad är det jag har skrivit om henne?

Han läste: "Fru Klarholm-Fibigers röst är av den sorten, som väcker drömmar och illusioner om en lycka över all mänsklig och jordisk lycka, om en vällust över all annan vällust, om salighet och evighet och evig salighet"...

– Så, sade han. Skrev jag alltså verkligen det i natt? Det måste ha varit därför att jag satt vid din sida, då jag hörde henne. För första gången på snart tio år satt jag vid din sida.

Vaktmästaren kom med te och smör och rostat bröd. Hon sade:

– Arvid – – –?

Han sade:

– Lydia – – –?

Hon sade:

– Älskar du din hustru?

Han svarade, efter att ha betänkt sig någon sekund:

– Jag älskar henne på lutherskt vis.

– Vad betyder det?

– Å, det gör detsamma – – –

De sutto tysta och smuttade på sitt te. Han tänkte: Är hon densamma som förr? Samma Lydia som jag kysste i en syrenberså för mer än tio år sen?... Älskar jag henne ännu – *kan* jag älska henne nu, då hon har givit sig åt en främmande man? Eller kanske åt flera – – –

Han sade:

– Lydia. Minns du den gången för snart tio år sen – i Torsten Hedmans rum på Nationalbladets redaktion?

– Ja, jag minns… Litet dunkelt, Men jag minns.

– Minns du att jag frågade dig om något, och minns du vad du svarade?

– Ja… Nej…!

– Jag frågade dig om något. Jag bad dig om något. Och du svarade: Jag *vill*! Men jag törs inte!

Hon log ett beslöjat leende:

– Sade jag verkligen det?

– Ja.

– Så. – Ja, det var den gången…

Han dröjde med det han ville säga, men det kom till sist:

– Har du kanske möjligtvis blivit litet modigare sedan dess?

Han sökte hennes blick, men hon såg rakt ut i rummets halvskymning med samma beslöjade leende:

– Kanhända det, svarade hon.

Hennes svar väckte på en gång en känsla av ångestskräck hos honom och ett våldsamt begär.

Han teg och hon teg.

– Kan du säga mig en sak, sade hon så – var ligger Taunitzer See?

– Taunitzer See?

Namnet föreföll honom välbekant, men han kunde inte i en hast erinra sig var han hade hört eller läst det.

– Nej, sade han, jag vet inte… Men det är väl någonstans i Tyskland eller Schweiz. Men hur så? Tänker du fara dit?

– Jag ville nog gärna det, sade hon. Om jag bara kunde få rätt på var den finns.

– Det bör väl inte vara så svårt?

– Jag är rädd att det inte blir lätt, sade hon. Jag låg vaken i natt och tänkte på ett ställe i "Når vi döde vågner". Och hela tiden ringde det för mina öron: "Dejligt, dejligt var livet ved Taunitzer See!" Och så tänkte jag: den sjön finns visst inte till. Och det är kanske just det fina i saken.

– Så, på det viset… Nej, det har du nog rätt i. *Den* sjön är det kanske inte så lätt att hitta på kartan. De tego bägge.

Hon viskade, mera för sig själv än vänd till honom:

– Men *en* gång i sitt fattiga liv skall man väl dock ha lov att försöka leta sig fram till sin Taunitzer See…

Han smekte tigande hennes hand.

– Lilla Lydia, mumlade han, lilla Lydia… Så sade han:

– Hur har du det med din man?

– Mycket bra, sade hon.

Och med ett litet spotskt leende fogade hon till:

– Han är så lärorik att vara tillsammans med. Han kan och vet så mycket.

– Och du gjorde ju en stor bröllopsresa?

– Ja. Köpenhamn, Hamburg, Bremen, Holland, Belgien, Paris! Rivieran, Milano, Florens, Rom! Och från Brindisi till Egypten och pyramiderna. Där blickade tre årtusenden, eller om det var fyra eller sex — jag minns inte — ner på lilla Lydia Stille. Och så tillbaka igen och hem över Venedig, Wien, Prag, Dresden, Berlin och Trelleborg...

– Men till Taunitzer See kom ni alltså inte?

– Nej, dit kom vi inte. Den står inte i Bædeker. De voro ensamma gäster i matsalen nu. De två lunchherrarna vid fönsterbordet hade gått.

Utanför klämtade dödsklockorna.

Han höll alltjämt hennes vänstra hand i sin högra. Han lyfte upp den och betraktade ringen med smaragden.

– Det är en vacker ring, sade han.

– Ja. Jag fick den av Markus den gången jag gav honom mitt ja.

Han tänkte efter ett ögonblick, innan han sade:

– Han var alltså så säker på ditt ja, att han köpte den dyra ringen innan han hade fått det?

– Nej. Han hade den förut. Och han berättade en liten romantisk historia om den, som gjorde ett slags intryck på mig – den gången... Han hade haft en ungdomskärlek, någon gång för tjugu eller trettio år sedan, och till henne hade han köpt ringen. Men hon svek honom, innan hon ännu hade fått den. Och han tog det löftet av mig att aldrig mera bära den om jag någonsin svek honom.

– Och det löftet har du hållit – – –?

Hon såg rätt ut i rummet och svarade icke.

Så sade hon:

– Jag kunde ha lust att en gång berätta litet för dig om mitt liv. Inte nu. Men kanske senare. En annan gång. –

Kanske helst i brev. Det är långa vinterkvällar där hemma på Stjärnvik. Då sätter jag mig kanske ibland ner och skriver till dig. Men du skall inte svara. Han är så svartsjuk, och han ger akt på vart brev jag får. Han öppnar dem inte, han fordrar inte att få läsa dem. Men han ger akt på dem.

– Så har du det visst i alla fall inte riktigt bra med din man? Lilla Lydia –?

– Det händer ju ibland, sade hon, att vi kommer in på frågan om skilsmässa – det är så långa vinterkvällar där hemma på Stjärnvik! Men vi tar det alltid lugnt och sakligt. Och slutet på visan blir alltid att jag stannar. Han är den starkaste i debatten. Och han är far till min lilla flicka. Och han har *pengarna*.

Han tog hennes hand och förde den över sina ögon. Det var ingen som såg det.

Det kom ett par middagsgäster och satte sig i en soffa snett emot.

Han tog upp sin annotationsbok, tog fram den lilla blyertsteckningen och lade den framför henne på bordet:

– Minns du? sade han.

Hon böjde stilla på huvudet.

– Ja. Tänk att du har gömt det...

– I många år bar jag det alltid på mig, i anteckningsboken.

Hon vände bladet och läste sin egen bleknade skrift och därunder hans fyra versrader. Och hon satt länge tyst med blicken ut i det tomma.

– Och du fick det som du ville, sade han. Du kom långt

ut och långt bort. Längtar du kanske ännu längre ut och ännu längre bort?

Hon svarade inte men upprepade bara viskande de sista orden i hans vers: höstligt det blivit sen dess...

– När skrev du detta? frågade hon.

– Det är några år sedan. Det var visst en kort tid efter mitt giftermål.

Hon satt tankfull.

– Nej, sade hon i det hon kom att tänka på hans fråga nyss, nej, jag vill inte längre ut och längre bort. Nu skulle jag vilja ändra den där raden så här: Jag vill hem, jag vill hem till mitt riktiga hem! Men jag vet bara inte var det finns. Vet inte var jag hör hemma. Tycker jag har tappat bort mig själv. Tycker jag har sålt min själ. Men frestelsen var ju heller inte liten; han förde mig upp på ett berg och visade mig all världen! Och nu är jag en rik gammal mans fattiga lyxhustru. Och nu vet jag att det är sant som det står i visan: att långa år få gälda vad stunden brutit. Å, Arvid – att det skall vara så höstligt för oss två. Vi är ju ännu unga!

Han tog blyertsteckningen och lade den in i anteckningsboken igen.

– Ja, sade han. Det har blivit för tidig höst för oss.

Det hade så småningom kommit flera middagsgäster och salen strålade nu i fullt ljus. Han kallade på vaktmästarn och betalade.

De sutto ännu kvar.

– Det har blivit för tidig höst, mumlade han. Men –

men det kommer ju dock till sist an på oss själva om vi vill hålla till godo med hösten eller göra oss en högsommar...

Hon såg stort på honom: bryr du dig om mig – är det möjligt att du ännu bryr dig något om mig? Hans blick sög sig fast i hennes.

– Jag kan aldrig, aldrig i tid och evighet bry mig om någon annan än dig.

Hon hade med ens blivit blek, men en blekhet som *strålade*:

– Är det sant? sade hon.

Han var för upprörd att kunna säga något. Han kände gråten stocka sig i halsen, den gamla gråten, som han inte hade känt något av på snart tio år.

Men de sutto bägge stela och korrekta som två mannekänger och stirrade rätt ut i rummet.

– Det fattades bara, hörde han henne viska – han hörde det som i en dröm – det fattades bara att jag skulle gå genom livet utan att nånsin ha varit din!

Och som i en dröm såg han, att hon helt stilla strök smaragdringen av fingret och lade den i sin lilla handväska.

– Kom, viskade hon.

Han kom med ens till sina sinnen igen:

– Nej, nej, sade han, det går inte an. Vi kan inte gå tillsammans uppför trappan och genom korridoren. Vilket nummer har du?

– 12.

– Första våningen?

– Ja.

– Det är bäst att jag går före. Jag går upp i läsrummet. Du sitter kvar här en minut eller två. Sedan går du upp och in i ditt rum. Jag står i dörren till läsrummet och ser var du går in. Och sedan passar jag på ett ögonblick då ingen finns i korridoren och kommer in till dig.

– Ja, ja.

– – – Han stod i dörren till läsrummet. Hon kom uppför trappan, hon gick in i sitt rum. En städerska syntes någonstans långt borta i andra ändan av korridoren. Hon försvann i en dörr.

…Han stod i hennes rum och vred om nyckeln i låset.

– Det fattades bara, hörde han henne snyfta med huvudet mot hans bröst, det fattades bara…

*

Därute klämtade ännu dödsklockorna genom december-mörkret.

IV

– – – *"Mig får du älska på hedniskt vis"*– – –

Arvid Stjärnbloms förhoppning om utrikesposten i "Nationalbladet" gick i uppfyllelse på nyåret 1908, och då han på samma gång fortfarande var musikrecensent, förtjänade han nu litet över fem tusen om året. Och han behövde dem. Svärfaderns bidrag till hushållet hade torkat in redan året förut. Tack vare Dagmars sparsamhet och ordningssinne, och tack vare ett banklån på 2,000 med Doncker och Freutiger som borgensmän, hade det likväl lyckats dem att få det att gå ihop.

Den gamle Jakob Randel höll dock ännu sina affärer gående. Men han hade inte längre sin gamla vigör och övertalningstalang. Ännu kunde han visserligen någon gång, då han var i gott humör efter en god middag, svära på att han skulle lämna minst hundra tusen efter sig åt vart och ett av sina barn, när det en gång behagade den högste att kalla honom hem. Men fem minuter efter kunde han säga: i nästa vecka slår jag tammefan vantarna i bordet! Men när "nästa vecka" kom, gav han en stor middag med statsrådet Lundström som glansnummer. Statsrådet Lundström hade med förvånad ovilja bevittnat det barnsliga experimentet med den första vänsterministären och därefter återtagit sin naturliga plats vid konungens rådsbord.

Arvid hade en gång efter en sådan middag, modig av vinet, frågat vad herr statsrådet ansåg om kvinnans rösträtt.

– Mum-mum, svarade statsrådet Lundström.

Men han tillade strax i något vänligare ton:

– *Statsråd*, mum-mum...

Arvid avstod från att försöka finna meningen i detta orakelsvar. Men Dagmar förklarade senare för honom att meningen var den, att han skulle säga "farbror" till farbror Lundström, liksom hon gjorde. Han var ju kusin till hennes döda mor. Och han höll alltid ett litet snällt och vänligt tal, var gång han var på middag där i huset. Nu sist hade han ju knackat i glaset och sagt:

– Mum-mum. Det har gått upp och ner här i världen för vår vän Jakob Randel. Mum-mum. Ibland opp, och ibland ner, mum-mum. För närvarande tycks det vara opp, att döma av den förträffliga maten och de utsökt goda vinerna. Mum-mum. Jag ber därför de närvarande att förena sig med mig i en skål för värden och värdinnan! – Mum-mum – värdinnan och värden, vill jag säga!

– – – Dagmar hade blivit litet ledsen första gången hennes fars bidrag till deras hushåll torkade in. Men han hade tröstat henne så gott han kunde:

– Kära Dagmar, hade han sagt, när vi gifte oss, trodde jag uppriktigt sagt inte mycket på de där två tusen om

året – på sin höjd trodde jag att vi skulle få dem det första
året, och längre framåt vågade jag inte tänka. Men nu har
vi fått dem i tre år, och det är vackert så. Jag har ingenting
att förebrå din far. Jag gjorde mig inga illusioner.

* * *

En dag i början av januari fick han ett brev från Lydia –
ett långt brev. Det var efter överenskommelse adresserat
till tidningen, inte till hans hem.

Hon skrev:

"Arvid. Jag sänder dig här, utom brevet, ett par gamla
dagboksblad. Jag har aldrig någon längre tid fört dagbok
ordentligt, bara kastat ner några rader en gång då och då.
Du kan läsa det första innan du går vidare"...

Han läste ett litet blyertsskrivet blad, tydligen utrivet
ur en annotationsbok, och numrerat med en etta med
bläck i ett hörn:

Paris 23 febr. 99.

Jag skulle ju föra dagbok under min stora resa, hade
jag tänkt. Men ännu har det inte blivit något av.

Vi kom till Paris i förrgår kväll. I går var jag med
Markus i Luxembourg och letade efter pappas gamla
skärgårdstall. Jag lipade förstås en liten vers, då jag
äntligen hittade den i en obemärkt vrå.

I dag var jag i Louvren. Ack, vad minns jag nu av

alla härligheterna i de ändlösa gallerisalarna... Jo, en tavla minns jag: en gammal florentinare (tror jag) i Salon carré: *Portrait de jeune homme.* Av *"Inconnu"*, står det i katalogen. "Okänd mästare." Men Markus sade att den anses vara av – hur var det han hette? – Franciabigio, eller något i den vägen... Jag stod länge framför den tavlan. Den erinrade mig på något sätt om en, som jag en gång har känt... Markus såg att den intresserade mig och frågade mig om jag ville ha en reproduktion av den. Ja, det ville jag ju gärna.

Så åkte vi en tur i Boulogneskogen, och så dinerade vi på café Anglais tillsammans med en gammal herre från Académie des Inscriptions...

Arvid lade den lilla lappen åt sidan och fortsatte brevet.

"Du frågade mig sist, hur jag har det med min man. Det är inte så lätt att svara på det. Men jag får försöka.

Att jag inte var kär i honom då vi gifte oss behöver jag ju inte säga till dig. Han var femtioett år, och jag var nitton. Därmed är inte sagt, att han inte kunde vinna en ung kvinnas kärlek. Han hade kanske kunnat vinna min, om inte... Nå, det kommer längre fram.

Men jag kom dock att hålla mycket av honom. I synnerhet under vår långa bröllopsresa. Han har, som du ju vet, ett stort rykte som arkeolog, och ändå är han alls inte en "fackmänniska" men har satt sig in i nästan allt möjligt och vet besked om de mest olika saker; och vart vi kommo under vår resa hade han framstående vänner och bekanta. Och jag kunde inte undgå att lägga märke till att han i varje sällskap alldeles naturligt blev medelpunkten. Jag älskade honom inte. Men jag var inte så litet stolt över att vara hans lilla hustru: det kan jag inte förneka. Han förde mig ut i en stor och ny värld – ny för mig...

Men – – –

Men jag var kvinna, och jag ville gärna ha ett litet barn. Och jag kunde inte undgå att märka, att han i vårt äktenskapliga umgänge (förlåt, Arvid, men jag måste ju tala rent ut!), alltid gjorde det så, att det inte kunde bli något barn. Och en gång frågade jag honom: varför gör du så? Han svarade: därför att jag inte vill ha barn. Varför vill du inte ha barn? frågade jag. Därför att jag är ett geni, svarade han; det är sagt mellan oss, och sprid inte ut det; men jag *är* ett geni. Och geniers barn bli ofta idioter. Därför vill jag inte ha barn. – Jag låg länge och tänkte efter. – Men, sade jag så, det kan ju tänkas att barnet kan komma att brås mera på mig, och jag är ju inte något geni... Och så behöver ju inte barnet bli idiot... Den natten – det var på ett hotell i Venedig – tror jag att min lilla Marianne, som nu är åtta och ett halvt år, blev till.

Men då jag hade kommit några månader fram i min grossess – det var efter vår hemkomst – märkte

jag, att mitt tillstånd ingav honom en obetvinglig
motvilja. Jag förstod det inte strax. Men han blev
mer och mer retlig och nervös, allt som dagarna
gingo – jag hade aldrig sett honom sådan förr. Dagar
igenom kunde han stänga in sig på sitt arbetsrum
och inta sina måltider ensam. Och när tiden
närmade sig, då jag skulle föda mitt barn, reste han
bort! Det var något bibliotek eller arkiv i Berlin som
han plötsligt måste studera i. Och först sedan han
fått telegram om att allting var lyckligt och väl över,
kom han hem.

Detta gjorde mig ju ganska tankfull. Och jag
vet inte om du kan förstå, hur djupt och obotligt
kränkt jag kände mig. Jag började misstänka, att
hans fruktan för att bli far till ett klent begåvat barn
bara var en förevändning. Han hade köpt mig till sin
lagliga älskarinna. Grossess och barn ingick inte i
hans program.

Jag tror att jag kan försäkra, att jag gick in i mitt
äktenskap med den uppriktigaste vilja att hålla
alla förpliktelser mot min man. Men efter detta
kände jag innerst ingen förpliktelse mot honom
mer – ingen alls. Och när sedan frestelsen kom (det
var några år senare) och jag mötte en man, som
eftersträvade mig och som gjorde ett visst intryck på
mig, föll jag nästan strax.

När du nu läser detta, tänker du kanske på
smaragdringen och undrar för dig själv, om jag höll

mitt löfte att inte bära den mer efter den dagen. Ack, det vet du ju redan att jag inte gjorde. – Det är en av Markus' favoritidéer, att sanningen är skadlig och att illusioner och villfarelser ha varit drivfjädern till allt stort som uträttats i världen och kärnan i allt vad människolycka heter. Jag tillämpade hans ide på honom själv och lät honom förbli i sin illusion.

Du skall aldrig fråga mig något om honom som jag älskade. – Å, Arvid, gör jag dig illa med det ordet *älskade*? Men det måste stå. Ty det är sant. Eller det *var* sant.

Jag älskade dig för tio år sedan, och jag älskar dig nu. Men då – för litet mer än fyra år sedan – hade du så länge varit alldeles borta för mig. Och jag hade nyss läst din förlovningsannons i tidningen. Och jag ville *leva* en gång, jag också.

Mera säger jag inte om detta. Jo, jag kan, säga att det inte varade länge. Ett år, ungefär.

Det andra lilla dagboksbladet här är från den tiden, då det blev slut."

Han tog det lilla bladet och läste:

1904, september.

Alltså slut. Var det alltså bara det? Inte annat? Inte mera?

Vissna blad virvla om i blåsten därute. Vissna blad

175

segna ned på trädgårdsgångarna. Det står astrar på mitt bord. Och ett vissnat blad dansar in genom fönstret och segnar ner på papperet.

Inte annat – inte mera…

Han tog åter brevet och läste:

"Och nu, Arvid, skall du vara min domare. Jag lägger min sak i dina händer, och du får döma mig eller frikänna mig efter ditt höga behag. Du skall inte skriva något brev till mig, du skall bara sända mig ett korsband (en tidning eller vad som helst) som tecken på att du har fått mitt brev. Om du dömer mig och alltså inte mer vill ha något med mig att göra, skall du sätta frimärket opp och ner. Men om du frikänner mig, skall du sätta det rätt.

Lydia."

Arvid satt i tankar.

Han tänkte naturligtvis inte ett ögonblick på att sätta frimärket opp och ner. Men han tänkte på andra saker.

Markus Roslin. Den utomordentliga kulturhistorikern och arkeologen, vars arbeten han hade läst och följt med en lekmans stilla beundran… Kommendör av Nordstjärnan, officer av Hederslegionen, medlem av Vetenskapsakademien och "en av de aderton", och så vidare… Och Lydia.

– Lydia. Min ungdomskärlek. Min enda kärlek. Som alltså utan alltför många omständigheter har gjort denna vetenskapens storman till hanrej. Och som jag ändå måste frikänna efter att ha läst handlingarna i målet... Det vill säga, jag har ju bara fått del av den ena partens synpunkter... Men den andra partens lär jag aldrig få veta något om. – Män äro mera tystlåtna än kvinnor i sådana ting.

– Finns det ännu en framtid för oss två? För mig och Lydia? Då måste jag ju först och främst ha skilsmässa. Ack, det är så lätt för rikt folk! Lydia kan säkert lätt bli skild från sin man; han är rik. Men jag? Min årsinkomst är just inte något att dela på... Och Dagmar? Vad skall jag säga till henne? Att jag inte älskar henne, att jag aldrig har älskat henne? Det blir ju Götterdämmerung och Ragnarök för henne! Skall jag påminna henne om "frihetslöftet"?

Han log vid minnet av detta barnsliga löfte. De hade en gång under förlovningstiden, inte långt före bröllopet, givit varandra det högtidliga löftet, att om en av dem en dag ville bli fri, skulle den andra inte göra något för att hindra det. Det var för resten hon som hade fordrat detta löfte – sådana löften voro vid denna tid nästan allmänt bruk vid förlovningar och giftermål, men visade sig naturligtvis alltid betydelselösa när det kom till allvar.

Och Anna Maria och lilla Astrid – skulle de växa upp utan någon far? Och kanske snart nog få "en ny pappa"...?

Nej. Han sköt undan tanken på skilsmässa som något otänkbart. – Och Lydia sade ju inte heller i sitt brev det minsta som kunde tyda på att hon hade tänkt sig den möjligheten – inte ens något som tydde på att hon själv hade i sinnet att försöka bli skild från sin man.

Han tänkte igen på hennes brev. Det kom knappast som någon överraskning för honom att hon hade haft en älskare. Hans instinkt hade redan viskat något i den vägen till honom sist de voro samman, decemberdagen på hotellet.

"Nu skall du vara min domare." Jag är visst inte den rätta till det, tänkte han.

Han tog en fransk tidning, som låg på hans bord, gjorde i ordning ett korsband och skrev hennes namn och adress på maskin.

Och han satte frimärket rätt.

*

– Vad du är tyst och tvär i dag, sade Dagmar vid middagsbordet. Har du haft någon tråkighet?

– Nej, sade han.

Och han tillade efter en stund:

– Jag sitter och tänker på att jag visst blir tvungen att lära mig ryska.

Tills vidare hade han lyckats attachera en rysk-kunnig ung man, Kaj Lidner, som kom upp på redaktionen en gång om dagen och ögnade igenom Novoje Vremja för att se om den innehöll något av vikt och i så fall översätta det för honom.

Nästan var och varannan dag låg det nu ett litet brev från Lydia på hans bord, när han kom till tidningen.

I ett brev skrev hon:

I går förde Markus av sig själv talet på skilsmässa. Det började med att han sade: Jag tror att du vantrivs här. Du ville kanske hellre bo i Stockholm? – Det ville jag nog gärna, sade jag. – Och varför nu det? frågade han – teatrar, sällskapsliv och så vidare? – Kanske det också, sade jag, men det är inte det viktiga. Det viktiga är att jag inte älskar dig och att samlivet med dig är mig en plåga. – "Älskar", vrängde han med det faderliga och överseende små-leende som jag med åren har lärt mig att hata mer än något annat – lilla Lydia, jag är snart en gammal man, men jag är inte någon idiot. Har jag någonsin ens frågat dig, om du "älskade" mig? – Nej, där måste jag ge honom rätt. Den frågan har han aldrig gjort mig. Det har han varit för klok till.

Så sade han vidare: Vi har ju redan ett par gånger talat om skilsmässa. Jag har tänkt mycket på saken, och jag har ett förslag att göra dig. Vår lilla Mari-anne kan jag inte skiljas från; hon stannar här. Men du får din frihet. Och du får fem tusen om året i underhåll, men på ett villkor: du tillbringar tre månader här vart år, två sommarmånader och en månad kring jul och nyår. Och dessa månader är allt som förut mellan oss.

Jag svarade: jag skulle bli himlaglad om du ville ge mig två tusen om året utan något villkor.

Han svarade inte, men gick in till sig och stängde dörren i lås. Som om han behövde frukta att jag skulle försöka tränga mig in till honom...

Men nu tror jag att jag har fattat *mitt* beslut. Dock, ännu är jag osäker...

– – –

Lydia.

Redan nästa dag kom ett nytt brev:

– – – Jo, jag har fattat mitt beslut. Ingen lag kan tvinga en kvinna att bo tillsammans med sin man, om hon inte vill. Till gengäld har han naturligtvis i så fall ingen skyldighet att underhålla henne. – Men jag har en tre tusen kronor på en bank; det är mitt lilla arv efter far. Och så har jag mina smycken. Jag har fått dem och de äro mina – och jag har ärligt betalt dem, hade jag så när sagt... Betalt dem med tio av mina bästa ungdomsår – kan det inte räcka? Och pärlhalsbandet är säkert värt många tusen kronor. Jag har alltså nog för flera år, och naturligtvis vill jag också försöka skaffa mig något arbete.

En sak, Arvid: *du* skall inte göra några anstalter

till skilsmässa för min skull. Jag vill lika litet nu som
då bli en börda för dig. Du har nog förut. Och jag
skall försöka glömma att du har hustru och barn
och en hel liten värld, som inte är min. Nog skall det
väl kunna skänkas oss några ögonblick ibland, då vi
bägge glömmer allt som inte är vi – vi två...

– – –

Lydia.

Och efter två dagar åter ett brev:

Å, Arvid, du kan inte föreställa dig hur jublande
glad jag vaknade i dag! Träden i parken stodo med
grenarna tunga
av gnistrande snö... Sol och hög, blå himmel! Och
just som jag rullade opp gardinen satt en domherre
på en gren tätt
utanför mitt fönster – jag tyckte mig kunna se det
röda,
duniga bröstet flämta, tyckte mig se hur det lilla
hjärtat pickade...
    Markus har plötsligt ändrat sig. Vi ha knappt talat
ett ord med varandra på de sista dagarna, och han
har ätit alla måltider inne hos sig. Men i går åt han
vid middagsbordet och var älskvärd och rar, som
han kan vara, när han vill. Efter middagen bad han
mig spela. Jag spelade "Pathétique". Han satt vid

brasan i en stor karmstol, Marianne stod hos mig vid pianot. Det var halvmörkt i det stora rummet, bara de två ljusen på flygeln tända, och så skenet från brasan... han bad om mera musik, jag spelade ett par av Chopins preludier... Så gick Marianne till sängs, klockan hade blivit nio.

Vi var ensamma. Sätt dig här, bad han. Jag satte mig i en karmstol vid brasan. – Lilla Lydia, sade han. Du skall få det som du vill. Jag teg. Jag fann intet att säga strax, och jag ville höra om han hade något mer att säga.

Och han sade: Som det har blivit mellan oss på sista tiden, lilla Lydia – i synnerhet de här veckorna efter din Stockholmsresa före jul – kan jag inte ha det minsta tvivel om att du har blivit kär i någon. Mer skall vi inte säga om det. Men den självklara följden därav är den, att du var dag och var stund måste önska mig död och begraven. Har jag orätt? Nej, du behöver inte svara. Men jag vill inte ens indirekt vara orsak till att det kanske en dag kunde stiga upp någon farlig och brottslig tanke i ditt lilla kära huvud. Ty jag har haft dig *mycket* kär, lilla Lydia – har dig alltjämt mycket kär – – – Och nu skall du få det som du vill.

Jag fann inga ord. Jag tog hans hand och vätte den med mina kyssar och min gråt. Och jag kysste hans vita hår. – Det har blivit alldeles vitt det sista året.

– Och så, sade han, är det ju en självklar sak, att

om du någon gång får lust att komma hit och hälsa på din lilla Marianne och ditt gamla hem, är du alltid en kärkommen gäst...

Jag kunde med möda få fram ett litet "tack".

Vi sutto ännu länge och stirrade in i de slocknande glöden. Så sade vi varandra godnatt och gick var och en in till sig.

I dag efter frukosten talade vi om det praktiska och detaljerna. Han ville ge mig fem tusen om året (utan villkor). Men jag stod vid mitt: två tusen. Jag vill inte ha mera av hans pengar än jag behöver för att leva. Han sade, att ett så ringa underhåll kunde ge anledning till prat och förtal av allt möjligt slag – folk måste tro, att jag hade brutit min äktenskapliga plikt och därför blev avskedad med en spottstyver... Men jag stod vid mitt. Jag bryr mig inte om vad folk pratar. Och jag ville inte ha mer än jag tyckte att jag hade gjort rätt och skäl för – någorlunda... Och lyx har jag aldrig brytt mig om. Med en liten lägenhet på två rum i Stockholm, och möbler till den, har jag allt vad jag kan önska, sade jag. Då bad han att åtminstone få ge mig pengar till möblerna. Och det sade jag tack till.

Och nu är det ordnat så, att jag i början av nästa vecka reser till Köpenhamn i sällskap med Ester (Ester Roslin, en släkting till Markus, som är mera god vän med mig än med honom – det var henne jag

var i sällskap med på Operan) och senast om fjorton
dar är jag fri. Fri – fri!

– – –

Lydia.

Det gick en vecka. Så kom det ett litet vykort från
Köpenhamn med Rådhustornet och Bristol och en kort
hälsning. Och efter ännu några dagar ett nytt brev:

Arvid. Allt är ordnat nu. Om ett par dar är jag i
Stockholm. Du skall inte möta mig vid stationen,
jag har ju Ester i sällskap. Och vi måste vara mycket
försiktiga – jag vill vara rädd om mitt rykte för min
lilla flickas skull. Och också för Markus' skull; han
har varit ädelmodig mot mig, och jag vill inte onö-
digtvis vålla honom sorg. – Vi skall helst inte mötas
förr än jag har fått mitt nya lilla hem i ordning. Jag
vill helst ha en dubblett med gas och vattenledning
o.s.v. i tamburen. – Men *då*!

Å, Arvid, all den längtan efter den riktiga kärle-
ken, som ligger samlad i mig efter så många, långa,
tomma år, den väntar nu på dig! – – –

Lydia.

Arvid Stjärnblom satt tankfull med detta brev i handen.
Han kände sig med ens så liten inför det, som väntade

honom här. Att stilla en sådan längtan – det var nog inte
någon småsak…

– Men hon är Lydia. Och jag älskar henne.

* * *

Det var en dag i mars, vid vårdagjämningstiden. Det
var dagen före Marie bebådelsedag. Det skulle alltså inte
komma ut några tidningar nästa dag, och han var ledig
– hela dagen och hela natten.

På morgonen hade han fått ett brevkort:

Käre bror.

Du har ju, som du minns, lovat att komma ut till
mig en gång och titta på mina tavlor. Du är hjärtligt
välkommen i afton, och du stannar väl över natten
– sista tåget går vid halvtolvtiden, och vid den tiden
har man det ju allra bäst. Det kommer också ett par
andra prissar.

Vännen

Hans Bergling.

Detta brevkort var från Lydia. Vännen Bergling var lika
uppdiktad som hans namn. Hon hade efter överenskom-
melse skrivit brevkortet – efter hans blyertskoncept – med

en handstil som hon hade försökt göra stor och bred och manlig. Och han hade dragit försorg om att på förhand ett par gånger tala med Dagmar om vännen Bergling. De hade träffats på Frisinnade klubben. Han var en begåvad och lovande ung målare. Han bodde på landet, någonstans åt Saltsjöbadshållet. Men han levde på ungkarlsfot och kunde inte invitera damer, inbjudningen kom alltså inte som någon överraskning för Dagmar:

– Ja, sade hon, lycka till, och mycket nöje!

*

Det bjöd honom emot att gå till Lydia direkt från hemmets middagsbord. Därför åt han under någon förevändning middag ensam på Continental. Han lyckades få samma soffa som han hade suttit i med Lydia den där december-dagen, då kyrkklockorna ringde över salig kungen...

Han tänkte där han satt vid sin ensamma middag:

Jag är trettitre år, och hon är tjuguåtta – nej, tjugunio fyllde hon för ett par veckor sedan... Och jag älskar henne, och livet är härligt!

Och han tänkte vidare:

Och så kommer det väl ändå en gång den dag, då det bara är ett minne. Då jag sitter som gammal gubbe vid härden och stirrar in i en slocknad eld och viskar för mig själv: Dejligt, dejligt var livet ved Taunitzer See!

– Och ändå. Ändå! Behöver det verkligen vara så alldeles omöjligt, att det en gång kan bli oss förunnat att leva och åldras tillsammans? Kan det inte låta tänka sig att Dagmar kan bli kär i någon och själv föreslå skilsmässa? Ack, illusioner! Nog för att det var tänkbart att Dagmar kunde bli kär i någon annan, han var på långt när inte egenkär nog att hålla det för omöjligt; men att hon i så fall skulle tala om det för honom och föreslå skilsmässa, det var nog i det allra närmaste otänkbart...

Snarare, tänkte han, gör hon väl då på ungefär samma sätt som jag gör nu...

... Tio minuter före sex tog han en täckt droska och åkte till Lydia – han åkte för att inte riskera att bli uppehållen av bekanta eller kanske rent av möta Dagmar på gatan...

Lydia hade lyckats komma över en dubblett vid Johannesgatan, högst upp under taket. Han gick långsamt de fyra trapporna upp och studerade i varje förstuga namnen på dörrarna för att se om där bodde några han kände. Där bodde ett par familjer som han hade hört talas om, men inga som han kände. Då han kom upp till femte våningen, öppnade Lydia innan han hann ringa:

– Jag stod i fönstret och såg när du kom, viskade hon.

– – –

De två rummen voro inte stora. Sängkammaren var mycket liten. Vardera rummet hade bara ett fönster, men genom dessa fönster var utsikten fri och stor. En isblå marsskymnings himmel välvde sig hög och kall över kyrkans rödspräckliga tegeltorn och kyrkogårdens nakna trädskelett. Och över Döbelnsgatans hustak snett emot kunde man se ända bort åt Kungsholmen till.

Det yttre rummet, det större, hade hon möblerat med gamla mahognymöbler. Hennes lilla mahognybyrå från barndomshemmet, en vacker liten byrå från Karl Johanstiden, stod också där. Över pianot – det var en gammal "taffel" av det slag, som nästan börjar försvinna och som visst inte tillverkas mer – hängde i en lång rad tio eller tolv små porträtt av stora komponister, i smala, svarta listramar: Händel, Beethoven – – – Schumann, Schubert, Chopin – – – Wagner, Bizet, och till sist Grieg och Sjögren. Och ovanför dem en skiss av hennes far: den lilla röda fiskarstugan i skärgården mellan knotiga tallar "i solsken efter regn"...

– Skall jag tända ljus? sade hon.

Det var halvskumt i rummet.

– Å, inte ännu, svarade han.

Hon hade varken elektriskt ljus eller fotogenlampor. Elektriskt ljus var inlagt i lägenheten, men hon tyckte inte om det och hade inte brytt sig om att montera det. Och fotogenlampor var för smutsigt och otrevligt. På skrivbordet hade hon två gamla silverkandelabrar med tre ljus i varje. På sin gamla byrå från barndomshemmet två smala ljusstakar av gammal "guldbrons" framför en empirspegel. Och på pianot två ljus med små gröna sidenskärmar.

– Men det börjar bli skumt, sade hon. Kan du se vad det är för ett nothäfte som står uppslaget på pianot?

Det var en liten visa av Tosti: Quando cadran le foglie… "När trädens blad de falla"…

– Jo, sade han, nog kan jag det…

– Minns du?

Ja. Han mindes. Han hade gnolat den för henne en gång för mer än tio år sedan i en syrenberså i en liten trädgård…

Hon satte sig vid pianot och sjöng, med sin spröda, rena, kanske av sinnesrörelse litet darrande röst:

När trädens blad de falla och bort du går
att min grav uppsöka i helga mullen –
långt bort i vrån det lilla korset står,
och blommor små smycka den gröna kullen…

Om du då plockar för lockarna dina de blommor som
mitt hjärta fött, så vet, det är sånger som jag tänkt, men
icke skrivit, är kärleksord, som till dig ej sagda blivit.

Han stod bakom henne och smekte henne lätt över håret, då hon hade sjungit sången till slut:

– Ja, sade han, jag minns. Den lilla visan sjöngs så mycket på den tiden. Det var visst Sven Scholander som hade bragt den på modet. Nu hör man den så gott som aldrig mer.

…De sutto vid fönstret i mörkningen. En ensam, mörkviolett sky gled långsamt fram högt över kyrktornets spets. Lyktorna tändes där nere i staden under dem. Inga små barn lekte längre mellan gravarna på kyrkogården. Stjärnorna blänkte fram, en efter en. I väster tindrade Venus helt nära den mörkvioletta skyn, och i söder, borta över Kungsholmen, lyste den röda Mars.

Hon satt med hans högra hand mellan bägge sina händer.

– Säg mig en sak, sade hon. Hur gick det till med ditt giftermål?

Han svarade, litet undvikande:

– Det gick väl till med det som med så många andra giftermål. Mannen behöver en kvinna, och kvinnan behöver en man. Och hon var en vacker ung kvinna. Och hon är det ännu.

Lydia satt länge tyst med blicken ut i det mörknande blå.

– Jag har ju aldrig sett henne, sade hon så. Och jag vill helst aldrig se henne. Är hon ljus eller mörk?

– Ljus.

– Ja, det gör detsamma…

De sutto bägge tysta.

– Det är sant, sade hon, jag har ju rent glömt att tacka dig för det du skickade mig i förmiddags. Men det står uppställt på ett bord inne i sängkammaren.

Han hade skickat henne några franska päron, några klasar blå vindruvor, litet konfekt och chokladpraliner och ett par flaskor Haut-Sauterne. Han hade först frågat henne vilket vin hon tyckte mest om. Hon hade svarat att hon inte alls brydde sig om vin. Men om det nödvändigt skulle vara, tyckte hon mest om Haut-Sauterne.

De sutto tysta. Hon höll hans högra hand mellan sina händer. Det mörknade mer och mer. Det rödspräckliga kyrktornet hade blivit svart mot den kallblå marshimmeln.

Hon sade:

– Minns du den gången på Continental, i december?

– Om jag minns...

– Hur kunde jag *våga*? På ett fint och korrekt hotell! Jag måste ha varit alldeles galen. Det kunde ju när som helst ha kommit någon och sökt mig, Ester till exempel, och knackat på dörren. Dörren stängd, och ingen som svarar. – Vad skulle vi ha gjort? Vad skulle jag ha gjort?

– Ja, det är inte så lätt att säga...

– Å, Arvid, vi måste vara förfärligt försiktiga. Sådana galenskaper kan vi aldrig tillåta oss mer... Och du kan inte komma hit till mig så ofta, att det kan väcka uppmärksamhet i huset. Och vi kan aldrig tänka på att gå ut tillsammans eller ens att stanna och prata i en halv minut, om vi råkas ute.

– Nej, naturligtvis...

De sutto tysta. Därnere flämtade en och annan gaslykta mellan de gamla trädskeletten. Och däruppe i det kalla blå brunno Venus och Mars.

Så sade hon:

– Minns du att jag frågade dig, den gången på Continental: älskar du din hustru?

– Ja…

– Och minns du att du svarade: jag älskar henne på lutherskt vis?

– Ja.

– Och att jag frågade: vad betyder det?

Arvid Stjärnblom tänkte efter.

– Jo, sade han, jag minns det mycket väl. Doktor Mårten Luther hade för snart fyra hundra år sedan den åsikten, att den sanna kärleken uppstår av sig själv mellan äkta makar, när de göra naturens och kärlekens gärningar med varandra. Och det kan möjligen vara något i det. Men inte mycket.

Lydia satt länge tyst.

– Nej, viskade hon, nej… Inte mycket…

Han sade:

– Nej, det leder tanken på Zinzendorffarnas – "Brödraförsamlingens" – metod ett par hundra år senare: inom den sekten brukade man dra lott om hustrur och män. Lottens utslag betydde Guds vilja. Men sådant som böjelse och begärelse och kärlek, det härrörde från djävulen. Och *kärlek* hörde för resten enligt Luther bara hemma i äktenskapet. Utanför äktenskapet var det inte kärlek, utan otukt och hor och allt möjligt fult och noterades till extra hög temperatur i helvetet…

Lydia hade med ens blivit blek. Men en blekhet som *lyste*.

– Kom, sade hon. Mig får du älska på hedniskt vis!

Hon ledde honom vid handen in i sängkammaren och

tände två ljus framför en spegel.

Två ljus. Han fick en förvirrad idé om att det var någon slags religiös ceremoni.

...Det var inga rullgardiner att fälla ned; hon hade ännu inte skaffat sig några. Och det behövdes inga. Det fanns inga grannar mitt emot som kunde se in till dem. Det fanns bara ett kyrktorn av rödspräckligt tegel, och kyrkogårdens trädskelett – stora, gamla – och en mörkblånande marshimmel och två stora stjärnor. Men nu började också de mindre tändas, en efter en...

Och långsamt, dröjande, började hon lösa upp sina kläder.

– – –

Ett litet rum med en stor säng. Två tända ljus framför en spegel. Och ett fönster ut till oändligheten och stjärnorna.

Han sade:

– Lydia. Jag tänkte på något, då jag var på väg till dig.

– Vad tänkte du på...?

– Jag tänkte: är det verkligen så alldeles omöjligt att du och jag en gång kan komma att få leva och åldras tillsammans? Och att jag en gång kan få dö med huvudet i ditt ljuva, ljuva sköte?

Hon svarade, upprätt i bädden satt hon:

– Du har ju en hustru, som du älskar "på lutherskt vis".

Han sade:

– Jag kan väl bli skild från henne en gång i tiden. Det

är omöjligt just nu. Hennes far har varit förmögen, men är ruinerad och fattig nu. Ja, det har jag ju berättat för dig. Det skulle se för illa ut om jag sökte skilsmässa just nu.

– Ja, ja, sade hon. Det har jag ju inte heller på minsta vis begärt. Du sitter fast, det vet jag ju. Och jag får ta vad jag kan få. Och jag älskar dig. Och jag har ju inte gjort några villkor, du har inte tagit mig "under äktenskapslöfte"... Och vi får foga oss i det som det är... Jag är glad att jag har fått igen mitt namn och mig själv: att jag åter en gång har blivit Lydia Stille. Jag tycker att jag har fått igen något av mig själv, något som jag hade tappat, eller slarvat bort... Såg du min lilla mässingsplåt på dörren? *Lydia Stille* står det på den! Ingenting mer, ingenting annat! Och annat skall det heller aldrig stå på min dörr – varken Roslin eller Stjärnblom eller något annat!

Han låg tankfull.

– Jag fäster mig inte nu så mycket vid ett namn på en dörr, sade han. Men jag drömmer ibland om en framtid för oss två. Oss två tillsammans. Och vad jag ville veta var, om du också drömmer i den riktningen. – Men det gör du alltså inte.

Hon viskade i natten:

– Jag älskar dig.

– – –

De hade bägge sovit eller legat i en slags dvala, då hon väckte honom:

– Är du hungrig? frågade hon.

– Är du?

– Ja. Och det finns proviant.

Hon steg upp och svepte om sig en morgonkappa. Och efter en stund hade hon dukat upp smör och bröd och kallt revbensspjäll och ännu mera. Och det fanns ännu mycket kvar av de franska päronen och de blå druvorna och konfekten. Och de hade inte tömt mer än den ena flaskan Haut-Sauterne.

– Klockan är bara halv ett, sade hon.

Han fyllde glasen. De skålade muntert:

– Skål, bror Bergling! sade han.

Hon var nära att få vinet i galen strupe av skratt.

– Medan jag skrev det där brevkortet, sade hon, blev "Hans Bergling" nästan en levande människa för mig. Jag fick till och med en föreställning om hur han ser ut: han är liten och satt, han har tjockt, borstigt, svart hår och grågula, hängande mustascher. Och han har färgklattar på kavajen.

– Skall vi inte ge honom ett litet pipskägg också? föreslog Arvid.

– Nej, svarade hon tankfullt, nej, det passar inte med hela hans typ.

– Men har vi inte för resten, sade Arvid, egentligen stulit "vännen Bergling" ur en novell av Anatole France?

– "Putois"?

– Det har jag inte tänkt på förr än nu, när du säger det. Men det är inte omöjligt. "Vännen Bergling" påminner verkligen litet om Putois...

De två ljusen framför spegeln hade nästan brunnit ned. Hon hämtade två nya ljus, tände dem och släckte de nedbrunna.

– – – Och åter...

...Hennes ögon stodo vidöppna, hennes blick var allvarsam och stor och fast, hennes överläpp drogs upp en smula, och hennes sammanbitna tänder *lyste* i halvmörkret – – –

De vaknade bägge. De sutto upprätta. Två skuggliknande ansikten, som erinrade blekt om deras, stirrade emot dem – långt bortifrån tycktes det, fast rummet var så litet – ur spegeln med de två ljusen.

Klockan närmade sig fem.

– Skall vi sitta en stund vid fönstret och se på stjärnorna? sade hon.

Hon lånade honom en badkappa. Själv svepte hon in sig i sin aftonpäls.

Det syntes inga stjärnor mer – de båda stora hade gått ned, och de små hade redan slocknat i den bleknande gryningen. Men i sydväst, helt nära kyrkspiran, stod månskäran, gul i det blånande blå.

De sutto hand i hand.

Hon satt med huvudet lätt framåtböjt och blicken ut i det blå.

Hon sade:

– Nyss stod månen till vänster om kyrktornet. Nu kryper han in bakom spiran, och om en liten, liten stund kryper han fram igen till höger. Detsamma har jag sett så många, många gånger: att månen rör sig från vänster till höger. Och en gång, det var någonstans vid Rivieran, kom jag att tala om det med Markus. Men han sade, att månen i verkligheten rör sig från höger till vänster. Och han förklarade för mig hur det hängde ihop, och jag tror att jag förstod det. Men jag har glömt det.

Arvid tänkte efter. Han hade en gång i tiden tenterat i astronomi i Uppsala och fått halvt överbetyg: "non sine". Men naturen har förlänat människan med den lyckliga förmågan att glömma. Annars skulle hon inte stå ut med livet. Dock trodde han sig på ett ungefär minnas hur det hängde ihop; men det var inte så lätt att förklara det i en hast.

– Det är inte bara månen, sade han, som rör sig från vänster till höger på himlen för vårt öga. Det gör också solen och alla stjärnorna. Men om du ser närmare på månens rörelse – inte en kort stund som nu, utan vecka efter vecka eller bara natt efter natt, så kan du själv se att han rör sig från höger till vänster. I går vid den här tiden stod han långt till höger om kyrktornet. I morgon vid samma tid står han långt till vänster om det. Stig upp i morgon bitti tio minuter i fem, så kan du själv se att han under det gångna dygnet har rört sig ett bra stycke från höger åt vänster...

Han höll inne. Han hade tänkt ge en mera utförlig förklaring. Men han höll inne med den: han kom plötsligt att tänka på den gamle skolrektorns vänliga ord, att han var "född till lärare". Och han teg.

De sutto kind mot kind.

– Vad är lyckan? viskade hon.

– Det vet ingen, svarade han. Eller den är något som man tänker sig och som inte finns. Och kan man ens tänka sig den? Kan man ens tänka sig en ständig, evig lycka – evig måste den ju vara, annars skulle den förgiftas av tanken på slutet… Dina ädelstenar och pärlor skänkte dig ju inte lyckan?

Hon log blekt.

– Nej…

– Men när författaren till "Johannes Uppenbarelsebok" skall skildra den eviga saligheten, skildrar han den i form av en stad – han var tydligen stadsbo – som svävar ned från himmelen, ett nytt Jerusalem, där husen äro av rent guld, stadsmuren av jaspis och de tolv stadsportarna av tolv olika slags ädelstenar och halvädelstenar. Så fattig är människans fantasi när det gäller den högsta lyckan, den eviga saligheten.

De tego bägge.

– Fryser du inte? frågade hon.

– Jo litet, sade han.

Och de kröpo till sängs igen.

* * *

Det var så vackert denna vår i slutet av mars och början av april. Det var något i dagrarna, i stämningen och luften, som erinrade honom om någon vår för länge sedan…

Kanske om den vårdagen för tio år sedan, då han gick i Kungsträdgården med Filip Stille, och salig kungen gick förbi, och han träffade Freutiger på Gustav Adolfs torg och följde med honom in på Rydberg, och läste en förlovningsannons i Aftonposten...

En av de sista dagarna i mars gick han, det var vid femtiden, Drottninggatan uppåt på väg hem. Han hade nyss mött Lydia – hon gick på andra trottoaren, och hon hade fröken Ester med sig – och de hade växlat en liten stel och formell hälsning.

Han stannade framför en juvelerares fönster. I ett hörn av fönstret låg en liten nål av silver eller kanske platina med en blodröd sten, som för hans ögon såg ut som en rubin. Han läste på prislappen: 18:50. Platina är det alltså inte, tänkte han, på sin höjd silver. Men stenen? Den var för billig att vara en rubin och för dyr att vara en glasbit. Han blev nyfiken och gick in och frågade, vad det var för en sten. – Det är en sammansmält rubin, blev svaret.

Det föll honom in att köpa den åt Dagmar.

Stackars Dagmar, tänkte han där han gick, stackars lilla Dagmar... Hon går där hemma glad och munter och lika säker på mig som Luther på bibeln; hon anar ingenting och misstänker ingenting och fruktar ingenting. Jag har alltid trott – ja, man vet ju så litet om sig själv – men jag har alltid hittills trott, att jag var en uppriktig natur. Utan all överdrift naturligtvis; jag flyger inte på mina bekanta på gatan och säger dem min mening om dem. Men jag har i alla fall gått och inbillat mig, att uppriktighet och en viss rent ointresserad kärlek till sanningen hörde till de djupaste grunddragen i min natur. Och nu, när jag har råkat in i förhållanden som göra lögn och list och förställning till snart sagt dagliga nödvändighetsartiklar – nu visar det sig till min överraskning att jag alls inte är så dålig på det området heller...

Nu denna sista natt hade han inte kommit hem förrän vid sextiden. Men han hade redan tidigt på kvällen telefonerat till Dagmar från tidningen, att Hans Bergling var i staden och att de skulle supa litet tillsammans. Och då visste hon på förhand att han inte skulle komma hem så snart.

– – – Dagmar blev mycket glad och överraskad av den lilla presenten.

– Är det en rubin? frågade hon.

– Nej, sade han.

– Är den oäkta då?

– Nej, den är halväkta. Kemisterna ha hittat på ett sätt att smälta ihop en mängd mycket små rubiner, så små att de knappt ha något värde var för sig, till en större. Det kallas "sammansmält" rubin.

Så lustigt! sade hon. Men då är det ju omöjligt att skilja den från en riktig rubin?

– Omöjligt vet jag inte om det är, men jag kan det inte...

Och de pratade om litet av varje. Om "farbror Lundström" och andra släktingar. Och Dagmar sade:

– Det var då roligt att äntligen en gång igen få se dig på

gott humör. Du vet visst inte själv hur tvär och omöjlig du har varit de här sista månaderna. Och skall vi inte någon gång bjuda Bergling hem till oss?

– Jo – ja – jo, det borde vi kanske göra… Men han tillade efter en stund:

– Hans Bergling är en ganska konstig kropp. Han bryr sig bara om två saker här i världen: måla och supa. När han har fått några glas, börjar han tala filosofi. Och han är formligen plågad av fruntimmerssällskap, han vet inte hur han skall uttrycka sig i damers närvaro, vet inte vilka ord i svenska språket som äro tillåtna i damsällskap och vilka som äro otillåtna… Han är mycket artig mot damer; han bockar sig djupt för dem så att hans tjocka, svarta hår faller honom ner i ögonen, medan hans små grågula mustascher dryper av punsch eller visky. Han är som sagt en konstig kropp. Och jag vet inte om han skulle känna sig riktigt hemmastadd i vår miljö. Och för ögonblicket lider han dessutom av en smula storhetsvansinne: han har lyckats sälja en tavla till en bankdirektör Steel. Han är representerad i "Steelska galleriet!" Det är inte småsaker! Det är nog bäst att vi väntar med att bjuda honom till vårt enkla hem tills det första ruset har lagt sig…

– Ja, så väntar vi då, sade Dagmar.

* * *

Det blev en blommande och ljuvlig juni.

…Den 2 juni följde Arvid i en automobil Dagmar,

Anna Maria, lilla Astrid och jungfrun ner till Centralstationen; de skulle som vanligt tillbringa sommaren uppe i Dalby, hos hans far. Själv skulle han komma efter längre fram på sommaren, då han fick sin ledighet. Det vill säga, så sade han till Dagmar. Men han hade lovat Lydia att han nog skulle finna på något skäl att stanna i staden.

Pingstaftonen gjorde han en resa till Strängnäs med Lydia. Det var ju inte utan sin risk, men de kunde inte alltid stå ut med denna eviga försiktighet... Han hade på förhand per telefon beställt rum på Stadshotellet för artisten Bergling med fru. Men det var nära att de hade råkat ut för ett fatalt äventyr. Hotellvaktmästaren tog emot honom med ett glatt igenkännande:

– Nej, se herr Stjärnblom! sade han.

Arvid letade febrilt i sitt minne och fann, att den unge mannen måste vara identisk med en av de vaktmästarpojkar, som tio år tidigare gjorde tjänst i Nationalbladets tambur.

– Är det inte Oskar? sade han. Ursäkta, jag har glömt tillnamnet...

– Larsson.

– Ja visst. Nå, säg mig, herr Larsson, har inte artisten Bergling beställt rum här?

– Jo, mycket riktigt...

– Ja, han har bett mig hälsa att han blev hindrad i sista stund. Men vi kan ju ta hans rum.

– Det passar ju utmärkt...

– – –

De drevo omkring i den lilla staden, i skymningen. Luften var fuktig och ljum. Det hade regnat men åter klarnat upp. Det doftade från de små täpporna av syren och hägg. Den gamla domkyrkans sträva och allvarsamma torn stod mörkt mot junikvällens ljusa himmel. Mälarfjärden låg stillnad och blank och ljus och speglade tomt den tomma, blå himlen.

*

Nästa dag, pingstdagen, gingo de i högmässan. De sjöngo andäktigt med i psalmen: "Allena Gud i himmelrik". De böjde med församlingen sina huvud i syndabekännelsen: "Jag fattig, syndig människa..." Och de lyssnade till predikan. En vördnadsvärd gammal präst – det var kanske rent av biskopen, eftersom det var pingstdagen – predikade om Den helige Andes utgjutelse över apostlarna. Han uppehöll sig länge vid det stora under som då skedde: då Jesu apostlar, dessa olärda fattiga män, genom Den helige Andes nåd fingo gåvan att tala alla de språk, som talades av parter och meder och elamiter, och de som bodde uti Mesopotamien och i Judéen och Kappadocien, Pontos och Asien, Frygien och Pamfylien, Egypten och i de Libye landsändar vid Cyrene, och de utlänningar av Rom, judar och proselyter, kreter och araber...

Arvid kände Lydias huvud stilla sjunka ned mot hans

skuldra. Och han kände sig också själv litet sömnig. Han kunde dock ännu uppfatta, att prästen hade kommit in på det moderna tungomålstalandet:

– Ingalunda, sade han, kunna vi som kristna betvivla allsmäktig Guds förmåga att den dag i dag är göra samma under som då, eller andra, eller liknande. Men Gud gör inga meningslösa underverk. Han skänkte genom den helige andes nåd apostlarna den gåvan att kunna tala till alla de främmande folkslag för vilka de skulle förkunna Ordet. Det kunde blott ske genom ett under – ett i sanning stort och skönt och meningsrikt under! Men om en svensk man, som förkunnar Ordet i en församling av svenska män och kvinnor, därunder plötsligt börjar tala mesopotamiska, då är det visserligen – förutsatt, att det verkligen *är* mesopotamiska, ett språk, varom även de lärdaste i vår tid blott äga ringa kunskap – ett under; men ett under, vars mening och betydelse det icke är lätt att inse – – –

Även Arvid började så småningom nicka till... De hade inte sovit mycket den natten.

De väcktes av mäktigt orgelbrus. Och de stämde litet yrvakna in i psalmen:

> *Helge Ande! Hjärtats nöje*
> *bästa skatt och högsta tröst!*
> *Du till andakt själv mig böje,*
> *då jag helgar Dig min röst.*
> *Överallt ditt tempel står,*

där du heligt offer får;
låt min själ därtill utväljas,
att Du må i henne dväljas.

Kärlekseld och nådens källa,
vishets brunn och sannings And,
du kan samvetet friställa,
när det tärs av syndens brand.
Giv min anda vittnesbörd,
att av Gud jag varder hörd,
som ett barn utav sin fader;
så är jag förnöjd och glader.

Du äst nådig, mild, saktmodig som en
duva, men flyr bort
ifrån den, som vred och blodig
har ett sinne stolt och stort.

— — —

Efter gudstjänsten tittade de litet på Sten Sture den äldres grav och biskop Rogges tofflor och några andra historiska saker. Och utkomna på kyrkogården satte de sig på en bänk i skuggan av domkyrkans gamla röda tegelmurar. En begravning, en fattigbegravning, med en blek och finnig ung präst och några få fattigt klädda sörjande gingo förbi dem. Och Mälarviken låg blank och stilla, och himlen var blå och tom och inga skyar syntes.

– Säg mig, sade Lydia, hur hänger det egentligen ihop med "den helige ande"?

– Ja, sade Arvid, det är inte så lätt att säga i få ord. En treenighet, bestående av fader, moder och son, finner man spår av i nästan alla de forntidsreligioner, som ha varit med om att frambringa det som nu kallas "kristendomen". Men de "första kristna" voro besatta av kvinnohat och kvinnoförakt – av orsaker som jag inte minns... Det bjöd dem emot att ge en kvinna plats i gudomen. Jungfru Maria, gudamodern, skulle ju annars ha varit självskriven. Men hon var kvinna och alltså utom räkningen. Men en treenighet skulle det vara. Och så inkallades den helige ande som suppleant: det skedde på ett kyrkomöte. Och sista fashionable news från himmelriket lyder så här: En syndare dör och går upp till himmelrikets port och knackar på och säger till sankt Peter: ursäkta, jag skall egentligen inte hit, jag skall till det andra stället; men kan jag inte få titta litet genom en glugg? – Jo, mycket gärna, säger sankt Peter. Och han pekar ut de mest framstående personligheterna och säger: Där sitter Gud fader, och där är Jesus, och så vidare... Men, frågar syndaren, som egentligen skall till det andra stället, men vem är *den* herrn där, som sitter litet avsides och ser så trist och melankolisk ut? – Det är den helige ande, säger sankt Peter. – Men varför ser han så ledsen ut? Då viskar sankt Peter i syndarens öra: asch, han sitter och grubblar över det där kyrkomötet i Nicæa, där han blev upptagen till tredje person i gudomen med knapp majoritet, och kanske inte utan fusk… Han är, i förtroende sagt, den enda gudomlighet som någonsin har kommit till genom omröstning. Och det är det han grämer sig över.

Lydia log:

– Ja, sade hon, jag minns att den helige ande gav mig åtskilligt att fundera på när jag gick och läste. Gud fader var ju också helig och också en ande, och sonen likaså. Varför skulle det då behövas en extra "helig ande"?

– Saken är kanske den, sade Arvid, att de troende på den tiden alls inte föreställde sig fadern och sonen som okroppsliga andar. Och det är kanske osäkert om de göra det den dag i dag.

…Junis ljusa grönska var runt omkring dem, och blå-klockor nickade i gräset, och bien surrade, och från tornet ringde klockaren över den döde, som nyss bars förbi.

* * *

Ofta sutto de vid hennes fönster i kvällsskymningen medan stadens larm brusade så fjärran att man kunde höra vinden viska i de stora, gamla trädens kronor.

En sådan kväll sade hon:

– I dag mötte jag honom, som jag älskade förr.

Han svarade ingenting. Han satt med hennes hand i sin, och han släppte den.

– Inte så, viskade hon. Det var inte för att göra dig illa jag sade det. Vi möttes av en slump, gick några steg tillsammans, pratade litet om likgiltiga ting. Och då jag hade skilts från honom, kunde jag alls inte förstå att jag en gång har älskat honom.

Arvid kände vid dessa ord en glädje som om det strömmade varmt blod åt hjärttrakten. Men det var bara i allra första ögonblicket. Redan i det nästa blev han litet tankfull.

De sutto tysta.

– Vad tänker du på? frågade hon.

– På ingenting...

– Alltså på något som jag inte får veta?

– Jag tänkte på något som kan komma en gång. Men det som ännu inte är, är ju ingenting.

Hon såg frågande på honom.

– Så fula, dumma tankar får du inte tänka, sade hon.

Och de möttes i en kyss.

*

– Sjung litet för mig, bad han.

Hon tände de två ljusen vid pianot och satte sig ned och sjöng Schumanns "O Sonnenschein".

Ett par nattfjärilar hade kommit in genom det öppna fönstret och fladdrade kring ljusen, medan hon sjöng.

* * *

Och sommaren gick.

En dag i augusti skrev Dagmar i ett av sina brev, att hans far var sjuk. Hans förr så starka hälsa hade varit vacklande hela sista året, men han hade hållit sig uppe tills för ett par dagar sen. Men nu låg han till sängs, och det var kanske osäkert om han skulle stiga upp mer. Han var ju sjuttiofyra år.

Arvid skyndade till Lydia med brevet.

– Å, är det du? sade hon förvånad, då hon öppnade för honom. Och hon tillade – med något hårt i rösten som han aldrig förr hade hört hos henne:

– Men jag har ju sagt dig att du inte *får* komma till mig annat än när jag väntar dig. Jag kunde ju ha någon på besök, Ester Roslin eller någon annan...

Han blev litet stel.

– Det är något särskilt i dag, sade han. Min far är sjuk. Han skall kanske dö. Jag måste resa till honom.

– Sätt dig, bad hon. Och förlåt mig om jag talade litet hårt till dig nyss. Man skulle aldrig tala hårt till den som man har kär...

Hon strök med handen över hans hår.

– Är din far mycket sjuk?

– Det ser så ut, svarade han. Han är sjuttiofyra år, och han har aldrig förr, aldrig i hela sitt liv, varit sängliggande sjuk.

– Ja, sade hon, så måste du ju alltså resa. När reser du?

– I morgon bitti.

Det stod tårar i hennes ögon.

– Så gick det alltså med den drömmen, viskade hon liksom ut i rummet.

Han såg frågande på henne.

– Jag hade ju glatt mig så mycket, sade hon, åt att vi åtminstone skulle få ha den här korta sommaren för oss själva – vi två.

– Kära, vi ses ju igen.

– Det vet man aldrig.

Han tog hennes hand och förde den över sina ögon.

– Ingen råder för liv och död, sade han. Men jag vet inte vad som annars skulle kunna skilja oss?

Plötsligt bröt hon ut:

– Å, Arvid, res inte! Inte nu, inte i morgon! Du kan ju vänta litet och se om det blir nödvändigt. Jag är alldeles säker på att din hustru överdriver din fars sjukdom för att locka dig till sig!

– Nej, Lydia, sade han. Nej, hennes brev är enkelt och sakligt och gör inte intryck av överdrift eller biavsikter. Och bara det faktum att far ligger till sängs visar att det är allvarsamt.

Hon teg länge. Så reste hon sig och gick fram till fönstret. Det var en mellangrå dag.

– Ja, ja, sade hon till sist. Res du. Plikten måste ju gå framför allt. Res du bara! Adjö!

– Lydia, sade han. Lydia – – –?

Hon hade plötsligt åter blivit vek. Och i det hon vände sig om mot honom sade hon:

– Nej, *så* skall vi väl inte skiljas…

Hon hade stora tårar i ögonen och hon lindade armarna om hans hals:

– Vill du vara hos mig i natt?

– Ja visst, sade han.

Och hon viskade:

– Så, som vi har haft det tillsammans denna sommar, får vi det aldrig mer – aldrig mer. När du kommer hem igen, har du din hustru och dina barn med dig. Och du har ditt arbete, och dina vänner och kamrater, en hel värld, som är stängd för mig. Och det kommer den dag, då jag blir till mera besvär än glädje för dig.

– Å, Lydia, vad menar du – är du från dina sinnen… Jag reser bort, men jag kommer ju igen, och jag älskar dig, och varför skulle vi inte älska varandra alltid, alltid?

Hon log genom tårarna.

– Nej, visst, sade hon. Alltid, alltid. Eller åtminstone till i morgon bitti!

*

Han gick till tidningen och ordnade det som skulle ordnas där, och han gick hem och packade sin kappsäck, och han gick ut och åt middag, och han gick till Lydia.

*

Han kom för sent upp nästa morgon för att hinna med det tåg han hade tänkt. Men han reste med ett kvällståg. Lydia stod på Järnvägsbron och viftade med en näsduk.

* * *

Den gamle ligger på sitt sista läger, och han vet det. Arvid sitter på en stol vid hans huvudgärd, och de växla några stilla ord då och då. Fönstret står öppet. Utanför rinner Klarälven blank och stilla mellan granklädda höjdsträckningar. Doktorn – provinsialläkaren på platsen, tämligen ung och alldeles ny i tjänsten och obekant för Arvid – har nyss gått. Han sade, att slutet kan väntas om några dagar eller ett par veckor. Bror Erik är tillkallad per telegram och väntas när som helst. Dagmar sitter i en vrå med ett handarbete. Anna Maria och lilla Astrid leka på gården.

Den gamles tankar kretsa mest om den förlorade sonen, han som skickades till en främmande världsdel och försvann och blev borta.

– Tror du han lever? frågade han.

– Svårt att tro något om det, svarar Arvid.

Det hörs små glädjerop från småflickorna därute: det är deras nioårige halvbror Ragnar, som syns på vägen med sin fosterfar, kyrkoherden Ljungberg. Stora bror Ragnar täljer barkbåtar åt småflickorna och talar om sagor för dem.

Kyrkoherden kommer in i rummet. Arvid bjuder honom sin stol vid huvudgärden.

– Hur står det till i dag? säger han. Har bror svåra plågor?

– Jag har inga plågor, svarar den gamle.

– Ja, kära bror, säger prästen, till dig kommer jag naturligtvis inte som själasörjare utan bara som gammal vän. Om de yttersta tingen vet vi lika mycket bägge två.

– Jag tänker inte heller så mycket på de yttersta tingen, säger den gamle. Jag tänker mera på de levande, som jag lämnar efter mig här i världen. Och mest på honom, som jag inte vet om han är levande eller död. Jag var kanske för hård mot honom. Det stod så klart för mig då, att jag gjorde det enda som kunde göras för honom. Men jag var kanske ändå för hård.

Han slöt ögonen och tycktes slumra in.

Prästen sade med sänkt röst till Arvid, sedan han av den sjukes djupa andetag hade övertygat sig om att han sov:

– Till en man som din far faller det mig naturligtvis inte in att komma på ämbetets vägnar. Han har i alla sina dar varit sin egen själasörjare. Men som själasörjare går jag ju ibland till fattiga bondgubbar och käringar, när de ligga på sitt yttersta. Och om de fråga mig om det, brukar jag tala om för dem att det där med "helvete" inte är så farligt som det låter. Men det är just inte alltid de tacka mig för det. En gubbe, som dog för ett par år sen, blev rent förbannad: "Och här har jag gått hela sista året, sade han, och haft min glädje åt att Olle Erks i Likenäs var i helvitte!" Och en åttioårig gumma, som dog i våras, gjorde mig en bekännelse på sitt yttersta. Jag kan tala om den för dig, eftersom den inte handlade om någon begången förbrytelse utan om en som inte blev begången. Hon bekände, att hon för femtio år sen, då hon var trettio år eller så omkring och gift med en gammal gubbe, hade haft svåra frestelser att ge sin gubbe "lite vitt". Och hon bekände ytterligare – och det är det som är det viktigaste – att när det i alla fall inte blev något av, så var det av fruktan, *bara* av fruktan: för bödelsyxan, om det blev upptäckt, för helvetet, om det inte blev upptäckt. Och hon frågade mig, om hon nu skulle bli förtappad för sina syndiga tankars och lustars skull.

– Och du svarade – – –?

– Jag sade henne, att ingen människa undgår brottsliga tankar och lustar, och att helvetet är till för de levande men inte för de döda. Då reste hon sig kritblek upp i bädden: "*Det* skulle en ha vetat för femti år sen, då Erk Pers i Ransby låg efter mig!"

Arvid satt tankfull.

– Det tycks framgå av det här, sade han, att helvetet verkligen skulle kunna ha en reell, "moralisk" betydelse för dem som tro på det?

– Det är mer än tvivelaktigt. Vi behöver bara se en två, tre hundra år tillbaka för att finna att människorna på en tid, då de så gott som mangrant trodde på helvetet, levde och syndade som nu, eller mycket värre. Gumman i fråga kände jag sedan många år och visste, att hon i all sin tid hade varit en präktig kvinna, en kärnkvinna. Jag tror, att det, som i verkligheten höll henne tillbaka från brottet, var något helt annat, något som inte stod klart för henne själv och som inte heller jag kan finna ord för. Det är i allmänhet svårt att finna ord för sådant. Att finna ord för det väsentliga, det *verkligen* avgörande... Jag märker det mer och mer ju längre jag lever. – Och sådant som detta hör för resten till de stora sällsyntheterna i min själavård. I de allra flesta fall måste jag säga att folket här i församlingen min hjälp förutan tar "helvetet" ganska lugnt. Bonden har här i landet ofta lika gott förstånd som prästen. Och läseriet är på retur. "Läsarna" bli gamla och dö bort, och deras barn bli avfällingar i stora massor: de ha haft en så sorglig och glädjelös uppväxttid, och när de bli stora och råda sig själva ta de skadan igen...

Och han tillade, i det han reste sig för att gå:

– Värmlänningarna är i det hela ett vaket och kvick-tänkt folkslag. Om man får tro en uppgift från 1634, kunde redan då så gott som varenda bondpojke och flicka här i stiftet läsa och skriva. Och de ha en urgammal kärlek till sång och dans och musik. I ett sådant folkslag kan läseri och helvetesfruktan gripa omkring sig epidemiskt då och då, men de slå inga djupa rötter i folket.

Genom det öppna fönstret hördes lilla Ragnars klara och rena barnröst sjunga:

> *Mandom, mod och morske män*
> *finns i gamla Sverge än,*
> *kraft i arm, mod i barm,*

ungdomsvarm i bardalarm.
Ögon blå då och då
le i blomsterdalar där,
vilda som en storm på hav,
milda som en tår på grav.

* *

Arvid hade bara fått ett enda litet brev från Lydia, sedan han reste. Men i detta lilla korta brev fanns det en rad, en mening, som var sådan att han aldrig ville skiljas från det brevet. Han bar det ständigt på sig. Och då han var ensam, läste han det åter och åter.

Men på de sista två veckorna hade han inte hört något från henne. Hon var väl inte sjuk? Varför svarade hon inte på hans brev? Var eftermiddag, då posten kom med hans två dagar gamla tidningar, ilade han med feberhast igenom dem och dröjde ångestfull vid varje olycksfall och dödsfall… En gång stirrade han skräckslagen på namnet *Lydia* i en dödsannons… Men det var bara en liten tre månaders flicka. Och i samma tidningsnummer läste han bland giftermåls- och kärleksannonserna på baksidan denna: "Går förbi ditt fönst. v. morgon. Kunde varma tankar taga gestalt, bleve ditt rum i det ögonbl. fyllt av rosor. *Lydia.*"

Han log för sig själv då han läste annonsen:

Namnet Lydia, tänkte han, tycks inte vara fullt så ovanligt som jag trodde…

Och hans blick gled över till annonsen närmast under: "Äktenskap: ADJUNKT önskar inl. bekantsk. m. bild. dam (helst lärarinna) omkr. 30 år, frisk (även tänder!), lång l. medellång, musikal. Svar m. fot. märkt 'Sverige 1908' till"...

Stackars sate, tänkte han. Han bor naturligtvis i någon liten landsortshåla...

Och närmast därunder stod detta korta tillkännagivande: "Jag kommer kl. 9. – S."

Och han tänkte: Ack, hur många små tragikomedier och Boccacciohistorier och Maupassant-noveller kunde inte en diktare få stoff till bara ur tidningarnas annonsspalter! Men jag är nu en gång ingen diktare och ville inte heller gärna vara det... Allt annat hellre än det!

Och han tänkte vidare:

Vad är det för ett underligt dubbelliv jag för? Detta kan ju inte fortgå i längden. Jag älskar en kvinna och är gift med en annan. Och denna andra, Dagmar, anar ingenting ont. Det är ju inte en normal mans liv. Det är ett liv, som på sin höjd kunde ursäktas om jag vore diktare. Ty en diktare ursäktar man ungefär vad som helst. Ingen vet egentligen varför; men så är det. "Diktare" betraktas som mindre tillräkneliga personer.

Han var inte alldeles fri från den arbetande och tämligen obemärkte journalistens icke så ovanliga, halvt föraktblandade lilla jalusi gentemot dessa diktare och författare med "namn", som när de någon gång nedlåta sig till att skriva en liten bit i en tidning honoreras för sitt namn snarare än för sitt arbete och som omtalas och omskvallras och fira födelsedagar och jubiléer och sväva i en högre rymd över all vanlig moral. Som gå på jakt efter "upplevelser" för att få stoff till sina romaner och teaterpjäser och som sedan servera de fattiga bagateller och banaliteter de möjligen varit med om i lämplig omstuvning, så att de kunna smältas av läsekretsen...

Ja, sannerligen, tänkte han, det är ju en diktarexistens jag för... Men det har jag ju alls ingen rätt till; jag är människa och man, och ingen diktare! Och jag står heller inte ut med det; det är mot min natur. Jag står inte ut med att leva i daglig förställning gent emot den kvinna som jag har lovat att älska i nöd och lust. Det löftet kunde jag inte hålla, och jag har redan brutit det. Men då måste jag säga henne det. Säga henne att vi måste gå åt var sitt håll; skiljas. Jag måste ha reda och klarhet i mitt liv; står inte ut med detta falska dubbelliv...

Men då han kom så långt i sina tankar, var det som om allt stod stilla för honom. Detaljerna, det praktiska, vad han skulle säga till Dagmar och hur det skulle kunna ordnas, ekonomiskt inte minst – allt detta blev till ett virrigt kaos vari han inte kunde se några fasta konturer.

Han satt vid sin fars gamla skrivbord. Dörren stod öppen till sovrummet, där den gamle låg i en dvala med slutna ögon och andades tungt.

Arvid satt och lekte med en blyertspenna. Han hade ett papper framför sig på bordet. Hans tankar voro hos Lydia, och han försökte rita hennes profil ur minnet. Han tyckte att det blev likt och ändå inte likt. Det var hon, och det var ändå inte hon. Han suddade ut och ändrade och ritade nya försök. Till sist tyckte han att han verkligen hade lyckats: det var ju hon, det var Lydia, alldeles levande och likt!

Han lade in den lilla teckningen i sin anteckningsbok och tog en kvällspromenad längs med älvstranden. Det hade regnat hela dagen men klarnat upp litet mot kvällen. Det granklädda Branäsberget speglades mörkt i det klara, rinnande vattnet.

Han tänkte på Lydia.

Var är hon nu, vad gör hon nu i detta ögonblick? Sitter hon ensam i skymningen och spelar Beethoven? Går hon någon av de vägar vi sist gingo tillsammans? Eller sitter hon vid fönstret och ser ut i det tomma?

Han tog upp den lilla bilden han hade ritat för en stund sedan och såg på den länge.

Nej, det liknade ju henne inte alls. Hur hade han kunnat tycka att det var likt henne? Det var ju alls inte hon. Det var en vilt främmande kvinna.

Han knycklade ihop det lilla bladet till en papperstuss och lät det flyta bort med älven.

* *

Man hade kommit in i början av september. Det var våta och molniga dagar och långa, mörka kvällar.

Det såg ut som om den gamle skulle komma sig denna

gång. Efter att i dagar ha legat i dvala, vaknade han upp en eftermiddag och talade – i korta satser, knappt hörbart, men han *talade*. Och han skämtade till och med. Han sade till Erik:

– Här, där jag ligger, kan jag se genom fönstret att Karlavagnen åker baklänges som vanligt. Och det betyder att jag går framåt i jämförelse med Karlavagnen! All rörelse är ju relativ.

Och till Arvid sade han med en viskning:

– Min lilla gosse. Jag är rädd för att du är svag mot kvinnor. Det behöver inte vanhedra en man. Men det kan lätt dra honom nedåt. Bryta sönder hans bana och stänga hans väg.

Han sade det med blicken ut mot stjärnorna och liksom i förbigående, som om han inte fäste någon vikt vid det. Och ingen mer än Arvid hörde det.

Och vid tiotiden slumrade han åter in och sov med långa, djupa andetag.

Erik vakade hos honom, och de andra gingo till sängs.

Men Erik hade redan vakat åtskilliga nätter, och det är möjligt att han nickade till i sin länstol.

Och när huset vaknade nästa morgon var den gamle död.

* * *

Det blev en kall och våt höst.

En dag i oktober, i middagsskymningen, gick Arvid

Stjärnblom Drottninggatan uppåt på väg hem. Han gick och grubblade över Lydia. Han hade efter sin fars död fått ett litet brev från henne, helt kort och så tämligen konventionellt – man kunde läsa det så, att hennes tanke var långt borta ifrån honom; men det var inte sådant att man måste läsa det så… Han hade inte gjort henne något besök; hon höll ju så strängt på att han inte skulle komma till henne annat än när hon väntade honom. Men han hade sänt henne en liten rad om att han var återkommen till staden.

Det hade nu redan gått ett par veckor sedan dess.

Ett par gånger hade han i mörkningen gått över Johannes kyrkogård och sett upp mot hennes fönster. Första gången var det mörkt däruppe, andra gången lyste svagt ljus.

Han gick och undrade och grubblade över henne. Var hon kanske i verkligheten redan trött på sitt fria och ensamma liv? Ty för det mesta levde hon ju ensam – utom med honom umgicks hon ju knappt med någon annan än fröken Ester Roslin… Längtade hon kanske ibland tillbaka till sitt gamla hem, till sin lilla flicka och sin gamle man, som var så lärd och vis? Hade hon kanske varit på besök där nu i höst, men inte velat säga det till honom – – –?

Han hade kommit till hörnet av Tunnelgatan. Den förföll honom alltid som den hemskaste gata i Stockholm. Icke desto mindre vek han om hörnet in i den trånga, mörka, smutsiga och stinkande gatan, stinkande av lukten från bryggerier och snusmalerier och allt möjligt, gick den fram till Brunkebergstunnelns mynning, uppför trapporna och in på Malmskillnadsgatan, vek av åt vänster och gick mellan gamla gravar och glesnande träd över den stilla kyrkogården.

...Nej, det var intet ljus i fönstret.

Han kände en plötslig motvilja mot att gå hem och äta. Han gick in i en cigarrbod vid Malmskillnadsgatan och telefonerade hem till Dagmar, att han skulle äta ute med ett par vänner.

Då han kom ut på gatan igen, stod han plötsligt ansikte mot ansikte med Lydia.

De stodo ett ögonblick tysta och förvirrade.

– Har du varit och sökt mig? frågade hon så.

– Nej, sade han. Det vore ju mot vår överenskommelse. Men jag gick över kyrkogården och såg om det lyste i ditt fönster.

Hon svarade ingenting strax. De gingo tysta bredvid varandra. De kommo in på kyrkogården.

– Så, sade hon äntligen. Är det verkligen sant att du bryr dig något om mig?

– Behöver du fråga det?

Hon teg.

Han frågade efter en stund:

– Har du varit i Stockholm hela tiden medan jag varit borta?

– Ja visst, sade hon. Var skulle jag annars ha varit?

De hade gått in på en mörk sidoväg och stodo nu i

skuggan av den gamla rödmålade träklockstapeln. Hon böjde huvudet bakåt under hans kyss.

Och när de åter vaknade upp:

– Jag tänkte, sade han, att du kanske hade varit på besök i ditt gamla hem.

Hon log blekt:

– Nej, sade hon. Det har jag inte.

Vinden rasslade med vissna blad.

– Bryr du dig något om mig ännu? frågade han.

Hon stod med ögonen stora av tårar:

– Kanske litet, sade hon.

Hon tog hans huvud mellan bägge sina händer och såg honom in i ögonen:

– Men du, sade hon, borde kanske inte bry dig så mycket om mig. Det är kanske dumt av dig.

– Ja, visst är det dumt, sade han – ty han hade plötsligt kommit i ett jublande glatt humör – men det enda roliga här i världen är ju att göra dumheter!

Hon smittades inte av hans glada humör. Hon stirrade allvarsam ut i mörkret och teg.

Han sade:

– Jag hade tänkt gå hem till middagen som vanligt. Men hur det var kom jag hit till kyrkogården och gick och stirrade upp mot ditt fönster. Men det var mörkt där. Då fick jag med ens en motvilja mot att gå hem. Nå, det hade jag kanske också fått om det hade lyst ljus... Men jag gick alltså in i en cigarrbod vid Malmskillnadsgatan och telefonerade hem att jag skulle äta ute med ett par vänner. Men det får vara detsamma med den middagen. Nu följs vi väl åt upp till dig?

Hon stod liksom hon övervägde något mycket viktigt. Och hon teg länge.

– Nej, sade hon så. Nej, inte nu. Inte i dag.

– Varför?

– Det kan jag inte säga så i en hast. Men du skall få veta det.

Han stod förvirrad, osäker:

– Ja, ja, sade han, så får jag väl alltså gå någonstans och äta middag...

– Ja, du får väl det, sade hon.

De skildes med en lätt handtryckning.

Han gick till Continental och åt middag. Han fick händelsevis den soffa som han för sig själv kallade "Lydias soffa". Senare på kvällen gick han på andra ställen och träffade vänner och bekanta. På Rydberg träffade han Markel och Henrik Rissler. Mot Rissler hade Arvid Stjärnblom en liten antipati, som han knappt kunde förklara för sig själv. Men han hade aldrig låtit märka något av det, och då Markel bad honom slå sig ned hos dem, gjorde han det.

– Ädle vän, sade Markel till Stjärnblom, du vet kanske inte att Henrik Rissler har ändrat levnadsbana och blivit upptäcktsresande? Han har gjort en resa till Köpenhamn och upptäckt en ny visky, som heter Vita Hästen – "The white Horse". Den måste du hjälpa mig att avprova – Rissler har redan infört den här.

– För mig kommer all visky ungefär på ett ut, sade Stjärnblom. Jag har inte haft tillfälle att utbilda mig till kännare.

– Du måste stiga upp tidigt om morgnarna och öva dig, sade Markel. Men hur var det nu med det där harpasset? sade han till Rissler.

– Är ni jägare också? frågade Stjärnblom, vänd till Rissler, det visste jag inte av!

– Nej, inte alls. Då jag var tolv år lyckades jag en gång skjuta en ekorre med slangbåge. Jag träffade honom verkligen, så att han damp i backen; men då jag skulle ta honom, klöste han mig så förbannat i handen att jag måste släppa honom. Och då jag alltså inte ens kunde besegra en ekorre, avstod jag för all framtid från att försöka tävla med kejsar Wilhelm, som enligt Tolstoj brukar "stå på lur bakom en grindstolpe för att besegra en hare". Men härom dagen var jag på en middag och hade till bordsdam en godsägarinna från landet, en väldig jägarinna inför herran. Och hon frågade mig: Nå, har ni några bra harpass på Östermalm? Jag svarade: jo det finns ett ganska bra harpass i hörnet av Karlavägen och Jungfrugatan. – Då föreföll det mig som om hon blev litet tankfull, och sedan var det i det närmaste slut med konversationen mellan oss. Och senare på kvällen fick jag uppbära en mild förebråelse av värdinnan för att jag hade fört en något väl skabrös konversation med damen! Hon hade trott att jag menade något oanständigt! Hon hade väl väntat att jag skulle svara: nej, min fru, vi ha tyvärr inga harpass på Östermalm!

– Jag misstänker nu i alla fall, sade Markel, att själva namnet "Jungfrugatan" var ägnat att förmedla vissa undermedvetna idéassociationer, som i någon mån måste anses kunna förklara damens missuppfattning...

Arvid satt förströdd. Han tänkte på annat. Lydia. Vad var det som hon inte kunde säga honom "så där i en hast", men som han "skulle få veta"... Vad kunde det vara? Hon såg så allvarsam ut...

Han spratt till vid att någon skålade med honom. Det var Rissler.

– Skål, svarade Arvid. Apropå – det är en sak jag ibland har tänkt fråga er om, men det är kanske närgånget, och ni kan ju låta bli att svara. Låg det något upplevat till grund för er första bok?

– Inte ett spår, svarade Rissler. Den handlade om saker som jag dels längtade, dels fruktade att få genomleva. Och det är kanske därför den gör det mest verklighetstrogna intrycket av allt vad jag skrivit.

– Det stämmer nog, sade Markel. Man ljuger aldrig så trovärdigt som då man ljuger på fri hand. Och verkligheten är ofta så otrolig att den verkar konstruerad.

– Precis, sade Rissler. Men just den där trovärdigheten hade rent privat ledsamma följder för mig. Jag var vådligt kär i en flicka på den tiden. Vad hon tyckte om mig vet jag inte; jag tordes aldrig fråga henne om det. Men en kväll, då jag följde henne hem till hennes port från en av Olof Levinis föreläsningar på Stockholms högskola, frågade jag henne vad hon tyckte om min bok. Hon svarade att hon inte alls tyckte om den. Jag drog därav den slutsatsen att hon inte heller tyckte om mig, och vi skildes tämligen kallt. Först många år efteråt anade jag det rätta sammanhanget: hon trodde naturligtvis att boken var en "självbekännelse". Och eftersom den handlade om en ung man som förförde två flickor och skrev ett falskt papper på ett så lumpet belopp som 300 kronor, kunde hon ju inte tycka så mycket om den… Kritiken behandlade för resten också boken som om det var en självklar sak, att allt som stod på tryck var sant. Man skulle inte tro det om gamla slipade recensenträvar; men det gjorde de verkligen. Och vad kan man då begära av en tjuguårs flicka?

Rissler tog en stor klunk ur sin grogg och fortsatte:

– Och vad jag mest av allt har emot Strindberg är, att han har vant allmänheten att vid läsningen av en roman alltid fråga: vem är *han*, och vem är *hon*, och vem är den och den och den, och hur mycket är sant? Han har vant allmänheten vid att tro, att ingen författare nu för tiden är i stånd till att ljuga ihop en bok på fri hand. Och sedan dess är det ett litet helvete att skriva romaner och teaterpjäser. Jag orkar inte med det längre. Jag kunde ha lust att skriva en liten bok och säga mina tankar om världens gång – direkt och utan diktade figurer som mellanhänder, utan humbug och krumelurer. Men romaner och teaterpjäser – fy tusan! Och för resten finns det egentligen bara en människovärdig form av tillvaro. Det är att göra ingenting.

De gingo över till att diskutera problemet Strindberg. Vid tolvtiden reste sig Arvid Stjärnblom:

– Ni får ursäkta mig, sade han, men jag måste upp på tidningen och ordna litet med nattens telegram. Furst Ferdinand av Bulgarien har anlagt namnet Cæsar i den slaviska formen: *tsar.* Jag tror inte att det har något vidare att betyda, men man kan inte veta... God natt!

* * *

Då han kom till tidningen nästa morgon, låg det ett brev från Lydia bland posten på hans bord. Han bröt det och läste:

Arvid.

Jag har tillhört en annan man medan du varit borta. Det var inte kärlek, det var inte heller ”det andra” – å, jag vet knappt själv vad det var... Men jag kände mig så ensam och övergiven av gud och hela världen, sedan du rest. Och jag såg dig ständigt framför mig samman med din hustru – det blev till sist outhärdligt, jag måste söka någon bot för det. – Kanske var det också ett begär att veta, om jag kunde gripa in i en människas öde.

Det är förbi nu; det var förbi redan innan du kom hem. Jag tänker inte att du nu vill förkasta mig för detta. Men du må göra som du vill.

Och jag ville att du skulle veta detta innan vi ses
härnäst. Muntligen kunde jag aldrig ha sagt dig det.

Lydia.

Han stod förstenad med hennes brev i handen.

Nej. Det kunde ju inte vara sant. Det var ju rent omöj-
ligt.

Nej, jag drömmer… Eller är det något hon bara har
hittat på, för att ställa mig på ett svårt prov. – Ja, så måste
det vara. Och när jag nu härnäst kommer till henne, ser
hon mig in i ögonen och säger: käre, trodde du verkligen
ett enda ögonblick att det var sant?

Men nej, han tyckte att det bara blev ännu värre, ännu
grymmare på det viset. Och brevet talade för resten för
sig själv.

Det var alltså sant. Verkligt och sant.

Plötsligt kände han att han mådde illa. Han knycklade
ihop brevet i fickan, och det var nätt och jämnt att han hann
genom korridoren ut i toalettrummet. Där kräktes han.

*

Han satt och grubblade i sin stol vid det stora skrivbor-
det. Han stirrade tomt och frånvarande på världsbladens
titlar: Times, Le Matin, B.Z. am Mittag…

Hans första impuls var att inte svara alls. Men han

tilltrodde sig inte att kunna bära konsekvensen därav: att aldrig mera få vara hos henne. Aldrig mer. "Nevermore." Nej, den tanken var honom alldeles outhärdlig. Alldeles otänkbar, alldeles utom gränserna för möjligheten att hålla ut med livet.

Han vecklade åter ut hennes brev och läste det om och om igen.

"– – – tillhört en annan man medan du varit borta – – – Såg dig ständigt framför mig samman med din hustru – – –"

"Kanske var det också ett begär att veta, om jag hade makt att gripa in i en människas öde."

Vad skulle det betyda? I vilken människas öde – i mitt, eller i den andres? – Alltid kan man väl gripa in i en människas öde. Det kan vilken bandit som helst. Och det kan hända ibland att det är svårare att låta bli.

"– – – tillhört en annan man – – –"

Nej, det brevet var inte något att svara på. Om jag har någon minsta gnista av ära i livet kastar jag det i klosetten och ser henne aldrig mer – känner inte igen henne om jag möter henne på gatan!

Men i alla fall… "Nevermore." Aldrig mer… Gå förbi henne på gatan som en främmande går förbi en främmande… Kanske inte ens hälsa på varandra…

"– – – Såg dig ständigt framför mig samman med din hustru – – – outhärdligt – – –"

Med ens såg han det: Här låg räddningen. Bron som ledde över avgrunden. Möjligheten till försoning.

Det var alltså av svartsjuka hon hade svikit honom. Alltså av kärlek. Varför inte då stryka ett stort streck över hela historien?

Och han tog pennan och skrev:

Lydia.

Jag har bedragit och blivit bedragen. Jag har bedragit min hustru med dig och dig med min hustru. Det enda som ännu fattas i symfonien är att min hustru bedrar mig, och inte ens då har jag rätt att klaga. Visserligen hade jag tänkt mig, att det som var och är mellan dig och mig skulle vara något särskilt, något för sig självt, något utanför vedergällningslagar och sådana tarvligheter. Och visserligen tänkte jag mig inte, då jag begravde min gamla far i min hemtrakts lilla kyrkogård en stilla septemberdag, att du samtidigt var ute på galanta äventyr. Men man får finna sig i allt. Man får ta världen som den är, om man också ibland blir litet häpen; och jag får ta dig som du är. Och jag kommer till dig i morgon kväll kl. 9, om du vill göra mig den äran att ta emot mig.

Men en sak, lilla Lydia, måste jag lägga dig på hjärtat. I fråga om en kvinnas älskare brukar man tillämpa australnegrernas aritmetik: man räknar bara till tre. Vad som är därutöver kallas "många".

Arvid.

Han läste igenom brevet innan han sände av det. Det svarade med sin lätta ironiska ton egentligen inte alls mot vad han kände. Men vad han verkligen kände hade han inte i sin makt att uttrycka. Och brevet fick vara som det var, och han skickade av det.

Men sedan han hade skickat av det, läste han än en gång hennes brev och stannade på nytt vid dessa ord:

"Kanske var det också ett begär att veta, om jag hade makt att gripa in i en människas öde"...

*

Nästa afton klockan nio stod han på Johannes kyrkogård och såg upp mot hennes fönster. Det lyste svagt ljus. Han gick upp de fyra trapporna och ringde på dörren. Ingen öppnade.

Han ringde igen. Ingen öppnade dörren.

Han ringde för tredje gången. Ingen öppnade.

Han gick på en krog och söp förfärligt.

* * *

Då Arvid Stjärnblom under en senare period av sitt liv tänkte tillbaka på denna höst, hösten 1908, kallade han den för sig själv: "källargången". Han tyckte sig gå genom en lång, slingrande, underjordisk gång, som ständigt blev trängre och trängre så att han till sist måste krypa...

Och han såg ingen utväg och inte den svagaste strimma ljus… Och han kände sig plötsligt gammal. Han tyckte sig åldras med ett år varje dag.

Morgonen efter den kväll, då han förgäves hade ringt på Lydias dörr, fick han ett kort brev från henne:

Arvid. Ursäkta att jag inte öppnade för dig i går. Jag hade fått ditt brev en stund förut på eftermiddagen, och jag kände ingen lust att råka dig. Och en kvinna med "galanta äventyr" på sitt samvete kan ju inte vara något för dig.

Förebråelser var jag beredd på – men inte på detta. Och nu vill jag vara ensam. Sök ingenting hos mig.

Lydia.

Han stirrade skräckslagen, blek, på de förfärliga orden.

Dagen gick och det blev kväll, innan han kunde samla sig till ett svar.

Lydia. Mitt förra brev gav dig visst inte någon riktig föreställning om vad jag kände då jag läste ditt – vad jag kände inför de orden: "jag har tillhört en annan man medan du var borta". Jag blev sjuk. Jag måste störta ut i toalettrummet med ditt brev i handen. Och där kräktes jag. – – –

Men då jag skrev mitt svar till dig hade det gått ett par timmar sedan dess. Jag är litet häftig, men

jag är inte långsint, och då jag skrev till dig hade
jag egentligen redan förlåtit dig. Vem är jag, att jag
skulle döma dig? Jag förstår bara inte att du har kun-
nat ta så hårt vid dig för de orden "galanta äventyr".
Vad kallar du det då egentligen själv? Det var inte
kärlek, skrev du. Men då kallas det "galanta även-
tyr". Jag kan inte hjälpa det. – "Förebråelser var jag
beredd på", skriver du. Det förvånar mig verkligen
att du inte väntade dig beröm!

En sak kan du vara förvissad om: du kommer
aldrig mer att veta mig stå som en usel kärlekstiggare
utanför din dörr. Jag fick nog av det sist.

Arvid.

Efter ett par dagar, långa som evighetens år, kom hennes
svar.

Arvid. Jag tackar dig för din "förlåtelse", men jag har
inte användning för den. Som botfärdig Magdalena
får du aldrig se mig.

Förebråelser var jag beredd på – ja; men inte på
ironiska kvickheter om galanta äventyr och austral-
negrernas aritmetik.

Aldrig, aldrig hade jag tänkt mig att du kunde
skriva så till mig.

Lydia.

Blek av förbittring läste han brevet, knycklade hop det och kastade det på elden.

*

– – –Böjd som en gubbe gick han i de dagarna genom gatorna på väg till och från sin tidning, med blicken ned i gatan. Han ville slippa hälsa på bekanta, slippa stanna och prata med dem. En gång kände han att han på detta sätt gick förbi Lydia utan att se hennes ansikte och utan att hälsa. Men det var bara av trötthet och dov förtvivlan. Han kom sig inte för med att se upp och lyfta på hatten. Och han tyckte att det kunde vara detsamma med denna tomma ceremoni mellan två som hade varit varandra så nära och kommit så långt bort från varann.

Han hade sömnlösa nätter. Han hade förfärliga, halvvakna syner och fantasier. Han såg henne ständigt framför sig: naken, med en främmande naken man. Den främmande hade ett huvud, men intet ansikte. Han stönade i sin halvsömn. Ofta vaknade Dagmar och frågade om han var sjuk.

Och ofta hade han besök av den tanken att han snart skulle dö, och att det var bra. Att det var den enda lösningen på hans tilltrasslade lifshärva. Han tänkte inte på självmord i vanlig mening, ty han var livförsäkrad, och han hade ännu en liten rest av omtanke för de sina.

Men han hade tänkt ut ett sätt att dö, som inte juridiskt skulle kunna bestämmas som självmord. Då vintern kom med snö och kalla nätter – den måste ju komma snart nu – skulle han en kväll köpa en butelj brännvin, vanligt brännvin, och gå ut och driva längs en landsväg i någon utkant, gå långt utanför staden, in i en skogskant, dricka ur buteljen, eller så mycket han orkade med, och lägga sig att sova i en snödriva. Han var viss om att aldrig vakna mer ur den sömnen.

Om dagarna gick han som en sömngångare. På tidningen var han en arbetsautomat. I hemmet var han tyst och tvär. Det var långt ifrån att hans ovänskap med Lydia på något sätt kom Dagmar till godo – tvärtom, hon var honom mera främmande och likgiltig än någonsin. Allt vad hon företog sig irriterade honom. Om han också aldrig hade älskat henne med den stora flamman, hade han dock alltid förut "sett vackert" på henne. Det var annorlunda nu, sedan hon utan att ana det hade blivit det levande hindret för hans kärleksdröms förverkligande. Till och med de små flickorna, Anna Maria och lilla Astrid, hade han liksom glidit bort från. Han smekte dem förströdd och lyssnade förströdd till deras joller och prat. En dag, då han gungade lilla Astrid på sitt knä, överraskade han sig själv med denna tysta tanke: Vad skall du bli när du blir stor, lilla barn – en Dagmar, som narrar till sig en man och sedan slår sig till ro med det vunna bytet, eller en Lydia, som lockar till sig den ena mannen efter den andra och aldrig slår sig till ro, förrän ålderdomen eller döden sätter punkt för trafiken…

Ty ett var han säker på: den man – vem han än var – som hon hade "tillhört" medan han var borta, hade inte förfört henne, men blivit förförd. Och också en annan sak var han säker på: att han var yngre än han själv: kanske till och med yngre än Lydia. Han visste inte riktigt varför, men han var säker på det. Men han visste inte vem han var, hade inte ens någon rimlig gissning. Och det var kanske därför han i sina nattliga syner såg honom för sig som en ung man med ett huvud men intet ansikte.

…Någon gång kunde det hända, att han av något som var starkare än hans vilja drevs till Johannes kyrkogård. Då blev han oftast stående framför Döbelns grav. Han kunde stå och stirra på den, han visste inte själv hur länge. Han läste inskriften på gravstenen:

> *FRIHERRE GEORG CARL VON DÖBELN*
> *GENERAL-LIEUTENANT*
> *STRIDERNA VID POROSALMI, SIKAJOKI,*
> *NY CARLEBY, LAPPO OCH JUUTAS*
> *VITTNA OM HANS HJELTEMOD*
> *VID FÄDERNESLANDETS FÖRSVAR.*

Och ovanför, i randen kring det adliga vapnet: ÄRA – SKYLDIGHET – VILJA.

*

Och åter såg han upp mot Lydias fönster. Där lyste svagt ljus.

* * *

November gick. Mörkret sjönk med var dag djupare över vintermörkrets land.

En dag i december, framemot jul, fick han hem några böcker från bokbindarn. Bland dem var Iliaden i J.Fr. Johanssons gamla översättning.

Det var en särskild historia med den; det var egentligen Lydia som skulle ha den. De hade någon gång på försommaren – den lyckliga, korta tiden, nu så förbi och så död som om den aldrig hade varit – kommit att tala om Iliaden. Hon hade aldrig läst den men ville gärna läsa den. Ett par dar efteråt lyckades han komma över den i ett antikvariat. Han hade köpt den för att ge henne den; men det var en gammal gulnad och tilltrasad lunta, som först måste till bokbindaren. Och nu först hade han den här, bunden i två ljusgrå skinnband med ett par enkla guldornament på ryggen, en hjälm, en lyra.

Skulle han sända dem till henne nu? Efter allt som kommit sedan? Hon kunde ju fatta det som förevändning för ett närmande, som kärlekstiggeri. Men han hade ju lovat henne dem. Han slog in dem och sände dem med ett stadsbud.

Samma dag mötte han henne på Drottninggatan i

middagsskymningen. Hon stannade och räckte honom sin hand.

– Tack för böckerna, sade hon.

– Tack...

De veko in på en sidogata.

– Att du brydde dig om att ge mig dem, sade hon.

Han svarade inte strax. Han kämpade med gråten. Och det fick hon ju inte märka.

Då han trodde sig om att kunna tala utan att darra för mycket på rösten, svarade han:

– Det var ju dina böcker. Du fick dem ju redan i somras. Men bokbindarn har inte blivit färdig med dem förr.

De gingo tysta.

– Ja, sade hon så. Nu skall jag gå hem. Adjö.

– Adjö.

* * *

Nästa dag mötte han henne åter vid samma tid och nästan vid samma gathörn, i samma middagsvinterskymning med snöblandat duggregn. De gingo förbi varandra med en kort och formell hälsning. Men på kvällen skrev han ett brev till henne.

Lydia.

Det här går inte längre. Jag ger mig på nåd och onåd.

Jag förstår mig inte riktigt på dig ännu; men det kommer kanske med tiden… Du blev så djupt förnärmad av mina brev i oktober. Men om jag också hade tagit alla de värsta och fulaste ord i svenska språket och slängt dem i. ditt ansikte – jag gjorde det inte, kände mig inte ens frestad att göra det, men *om* jag hade gjort det – vad kunde det alltsammans väga mot den enda lilla raden i ditt brev: Jag har tillhört en annan man medan du var borta.

Men du är alltså förnärmad, och jag ber dig om förlåtelse. Ty du är hela mitt liv. Jag kan alls inte tänka mig något slags liv utan dig. Kan alls inte tänka mig att vi två för framtiden skall gå förbi varandra som två främmande på gatan.

Du ville inte ha min förlåtelse. Du spottade på den.

Men jag vill ha din! Förlåt mig!

Arvid.

Det var ett par dagar före julafton han skrev detta brev. Han fick intet svar.

* * *

Äntligen kom snön, på själva julafton.

Arvid Stjärnblom var ledig från tidningen. De små julklapparna till Dagmar och barnen och jungfrun hade

240

han lackat in och skrivit på tidigt på morgonen. Förr om jularna hade han brukat hitta på små julklappsrim till paketen. Denna gång blev det bara torra namnen.

Från tidigt på förmiddagen drev han omkring på gatorna, i den lätta, vita snön som föll och föll.

I ett gathörn växlade han en hastig hälsning med Filip Stille:

– God jul! sade Filip.

– Tack detsamma... Hälsa din hustru!

Filip Stille var gift sedan ett par år med Elin Blücher. De hade inga barn. De ansågo sig inte ha råd till det, hade Filip sagt till honom vid något tillfälle...

På Gustav Adolfs torg mötte han Henrik Rissler. Han var nära att lyfta på hatten i distraktion, men ändrade sig i tid och nickade. Rissler hade ju lagt bort titlarna med honom härom kvällen. Sedan dess var det som om han tyckte litet bättre om honom.

– God jul! sade Henrik Rissler.

– Tack detsamma...

– Går du med in på Rydberg och tar en glögg?

– Ja, varför inte.

De fingo en soffa med utsikt över torget.

– Slottsfasaden gör sig bra som fonddekoration i det här snövädret, sade Stjärnblom.

– Ja, sade Rissler, men den som inte har sett slottsfasaden före reparationen för en tio eller tolv år sen, den har helt enkelt aldrig sett den. Så grann som den var då blir den inte på de närmaste hundra åren.

De sutto tysta och betraktade skuggspelet därute, människorna som gingo förbi och ibland stannade och önskade varandra god jul...

– Säg mig, sade Stjärnblom, du har ett Shakespearecitat någonstans i en av dina noveller: "Det är så sent för mig i världen nu, att jag ej hittar hem." Varifrån är det?

– "Antonius och Kleopatra", svarade Rissler. Han hade någon satans historia med en mörk dam, då han skrev den pjäsen. "The dark lady." Men han hittade ändå hem till sist, hem till den småstadshåla där han var född och där han ville dö. Och innan dess hann han med att köpa sig gård och grund och adelskap av lägsta graden, så att han efter att ha tillbragt ett liv som komediant och illa ansedd författare äntligen kunde gå i sin grav som hederlig karl.

Arvid stirrade på skuggspelet utanför. Där gick ju Kaj Lidner förbi, med rockkragen uppslagen.

Kaj Lidner var hans ryskkunnige medarbetare på utrikesavdelningen. Han var en djupt svårmodig ung man på tjugufem år eller så. Han hade sagt till Stjärnblom någon gång förra våren, att han bara saknade en anständig förevändning att ta livet av sig. Han var mycket fattig och hade svårt att slå sig fram. Men det betraktade han inte som en anständig förevändning. Han påstod sig vara nihilist och anarkist. Arvid erinrade sig att han någon gång – var det inte den där pingstsöndagen i Strängnäs? – hade kommit att tala om honom med Lydia. Och då han talade om hans självmordstanke hade hon svarat: "Å, det är naturligtvis bara prat. Men det är ett vackert namn han har. Kaj Lidner. Det låter så vackert"...

Han sjönk i tankar. Men han väcktes av Henrik Rissler:

– Är det inte konstigt i alla fall med den här domen över Wicksell. En professor i nationalekonomi, som redan i ungdomen har suttit i fängelse för "hädelse mot Gud" och som är känd för sin nästan patologiska sanningskärlek, får plötsligt ett återfall och håller inför en publik av unghinkar ett föredrag, vari han kanske litet grovkornigt skojar med dogmen om jungfru Marias jungfrudom. Vad han har sagt refereras inte i tidningarna; det refereras bara att han har sagt något svinaktigt. Och ett halvt dussin murvlar av vilka inte en enda – jag kan inte göra något undantag ens för vännen Krigsberg – har ens så mycket religion i kroppen som kyrktuppen, börja skria att detta går över alla gränser och att han måste åtalas och dömas! Och han blir åtalad, och *dömd*! Vad är det för slags domstolar vi har? Lagen fordrar att han skall ha väckt "allmän förargelse" för att kunna dömas. Men hos sitt auditorium väckte han ingen förargelse, tvärtom – unghinkarna jublade! Han har väckt "allmän förargelse" hos Krigsberg och ett par andra! Eller rättare sagt: Krigsberg och ett par andra ha dragit försorg om att väcka allmän förargelse mot honom. Och det blir Wicksell dömd för!

– Ja, sade Arvid, nog är det litet konstigt...

– Hur trivs du för resten i Nationalbladet nu för tiden? frågade Rissler. Olof Levini är död och har fått docenten Löök till efterträdare. Gurkblad och Torsten Hedman äro numera för stora att skriva i tidningar. Dem ser man aldrig till i "Nationalbladet". Markel har flyttat snett över gathörnet till "Dagens Post". Och Krigsberg blev hans efterträdare! Doncker är den enda man på skutan som ännu finns kvar från 97! "Aber die Katz', die Katz' ist gerettet!"

– Ja, sade Stjärnblom, det har ju skett en del förändringar sedan 97. Men nu måste jag gå. Sitter du kvar?

– Jag sitter nog kvar en stund till. Adjö. Nej, vänta litet – skrev inte docenten Löök något om Pascal härom dagen? Något om att han var en mästare i tvivel? Han har tagit Pascal i arv från Olof Levini. Det är det enda han har ärvt av honom. Pascal tvivlade, om man får tro hans systers biografi över honom, aldrig ett ögonblick på någon enda av "de heliga sanningarna". Han var klen och sjuklig och på alla sätt predisponerad för religion. Men han var på samma gång ett litet underbarn i matematik och fysik; och det är därför han i senare tid har kommit att betyda så mycket till förmån för religionen. Ingen människa fäster sig vid att en vanlig präst uttalar sig till förmån för vår herre: det är ju hans yrke. Men då matematici och naturvetenskapsmän som Pascal, Newton och Swedenborg göra det, då skall "vår herres" anhängare nog förstå sig på att ta vara på dem!

*

– – – Arvid Stjärnblom drev kring gatorna i den fallande snön.

Det var långt till middagen. Julaftonen åto de inte middag förr än klockan sju. Han gick in på Du Nord och åt en frukostbit.

Vid ett av fönsterborden satt en skald med två komedianter. Arvid fick plats vid ett bord i närheten. Han hörde skalden berätta om sin ungdoms kärleksöden.

– En gång i början av sjuttitalet, sade han, var jag väldigt kär i en flicka som stod i en cigarrbod vid Näckströmsgatan, och vi hade det riktigt trevligt tillsammans. Men så kom det en annan skald och tog henne ifrån mig, en skald med guld och pälsverk! Det var Edvard Bäckström! Då gav jag henne fan. Men en kväll träffade jag henne ute, och vi gick ett slag utåt Skeppsholmen. Det var djävligt grant månsken. Och jag förebrådde henne hennes otrohet. Då ställde hon sig på kajen och bredde ut armarna och sa: jag svär att jag aldrig i livet har älskat någon annan än dig! Och så kastade hon sig i strömmen!

– Nå, då hoppa du väl efter och fiska upp henne? sade en av hans sällskap.

– Ä-äh, svarade skalden, jag hade ju redan haft henne! Men jag la mig ner på kajen och tog tag i en järnring med ena handen, och med den andra fiskade jag opp flickan. Och så fick jag henne opp i en droska och körde henne hem till hennes mamma. Och medan jag stod där och förklarade saken för gumman, kom Edvard Bäckström, insvept i en djävla päls. Då peka gumman på mig och sa:

den här unge mannen har räddat Lydia! Och så gjorde Edvard Bäckström en gest åt plånboken. Men då sa jag: nej, ursäkta, herr Bäckström, jag är också skald! Och så gick jag!

Arvid lyssnade tankfullt. "Lydia." Det fanns alltså en Lydia på 1870-talet också. Ack ja, det har det väl alltid funnits och skall alltid finnas. Hon är evig som naturen.

*

– – – Åter drev han kring gatorna i den fallande snön.

Det var något inom honom som drev honom till Johannes kyrkogård. Han blygdes över sina steg. Men de drogo honom dit.

Och åter stod han vid Döbelns grav och stavade på inskriftens nötta guld.

ÄRA – SKYLDIGHET – VILJA.

Hans tankar sprungo utan att han visste hur eller varför över till Kaj Lidner. "Det låter så vackert", hade hon sagt om hans namn. – Han hade varit så oregelbunden i sin tjänst på. tidningen hela denna höst, Kaj Lidner. De sista veckorna hade han knappt visat sig. Han hade varit sjuk, sade han. Och han såg verkligen dålig ut. Doncker hade talat om att avskeda honom. Som en skuggas skugga såg han ut, där han drev förbi Rydbergs fönster.

– Arvid.

Han vände sig om. Det var Lydia.

– Jag tyckte att jag såg dig från mitt fönster, sade hon. Men jag var inte säker.

Han teg.

Hon viskade:

– Kom med upp till mig.

Han skakade på huvudet.

– Nej, sade han. Du har dröjt för länge. Du har pinat mig för grymt och för länge.

– Förlåt mig, viskade hon. Och kom nu, när jag ber dig. Jag är så ensam och förtvivlad. Och det är sista gången jag ber dig, om du säger nej nu.

Han följde henne.

De sutto vid fönstret. Och snön, den föll och föll. Hennes ögon stodo stora av tårar.

– Säg mig en sak, sade han. Du skrev i det där brevet, att du ville känna om du hade makt att gripa in i en människas öde. Vad betydde det?

– Å, ingenting...

– Den makten, sade han, har väl vem som helst. Men man skall kanske helst vara litet aktsam med att begagna den. Skall man inte?

– Kanske det, svarade hon. Men nu låter vi snön snöa ner över allt det där.

– Ja, sade han. Ja, låt oss det.

De sutto kind mot kind och stirrade ut. Och snön, den föll och föll.

Iliaden låg på bordet. Han frågade:

– Har du läst något i den?

– Nej, sade hon. Men läs något för mig ur den!

Han tog en av dem, det var andra bandet, och bläddrade litet i den. Han fick upp fjortonde sången. Och han läste för henne det stället, där den strålögda, härliga Hera lånar Afrodites gördel för att förföra Zeus och på den vägen intressera honom för sina politiska kombinationer.

Henne svarade då Afrodite med löjet på
läppen:

Icke jag kan och icke jag bör avslå din begäran,
ty du ju vilar i famnen på Zeus, bland gudar
den störste.
Sagt; och ifrån sitt bröst hon löste den stickade
gördeln,
skiftande; gömt i denne var allt som tjusning
bereder,
smäktande kärlek och ömma begär och sme-
kande böner,
vilka förförande stjäla sig in i de visastes
hjärtan.

– – –

Skyndsamt Hera nu opp sig begav på Garga-
ros' hjässa,
överst på Ida; men henne förnam molnskock-
arn Kronion.

Och då han henne förnam, av begär omhölj-
des hans sinne,
liksom då först de beblandade sig med
varandra i älskog,
stigna tillsammans i bädd, dock utan föräld-
rarnas vetskap.
Fram mot henne han gick och höjde sin röst
och begynte:
Hera, vart ämnar du gå? Vi kommer du hit
från Olympos?

– – –

Kom nu, så gå vi till sängs och i älskogslust oss
förena.
Ej till gudinna och ej till kvinna så kärleken
nånsin
omkringslutit mitt bröst och underkuvat mitt
sinne.

– – –

Det började skymma. Och snön, den föll och föll.

Lydia reste sig, strök honom sakta över håret och tog boken ur hans händer och lade den på bordet.

– Kom, sade hon.

Hon gick in i sängkammaren. Hon tände de två ljusen vid spegeln. Och långsamt, tigande, började hon lösa upp sina kläder.

Ute sjönk redan vintermörkret över kyrkogårdens träd. Men de två ljusen glimmade stilla vid spegeln.

Plötsligt ringde det på dörren. De satte sig båda upp i bädden och lyssnade. Det ringde en gång till. De nästan höllo andan. Efter en lång stillhet ringde det tredje gången.

Han viskade till henne:

– Du kan ju åtminstone visa honom den barmhärtigheten att släcka ljusen. Så att han slipper se ljus i ditt fönster, när han nu går ner på kyrkogården och vänder sig om och stirrar hit upp...

Hon svarade:

– Å, han har väl redan sett att det lyser hos mig. Och det är bättre så. Bäst att han en gång för alla får klart för sig att jag är borta för honom.

Och hon lät ljusen brinna.

Hon satt alltjämt upprätt i bädden som om hon lyssnade. Men allt var tyst. Så frågade hon:

– Säg, vad betyder "Ate"?

Han tänkte efter ett ögonblick.

– Ate, sade han, var en grekisk gudomlighet. En av de mindre. En ödesgudinna. En olycksgudinna. Hon ansågs som en personifikation av det bedårande fördärvet. Men varför frågar du det?

– Å, det gör detsamma...

Hon stödde hakan i handen och såg ut i det tomma.

Han låg med slutna ögon och tänkte. Varför frågade hon om Ate? "Han" hade kanske någon gång kallat henne så. Kanske i ett brev. Han påminde sig nu att det låg ett brev på hennes bord först han kom in och att hon hastigt hade stuckit ner det i en låda. Och plötsligt stod åter Kaj Lidner för hans tanke. Lidner var inte bara hemma i ryska, han var också mycket skicklig i grekiska...

– Säg, sade han, varför frågade du om Ate?

Hon stirrade tomt ut i det tomma och teg.

* * *

Annandag jul var Arvid Stjärnblom åter i arbete på Nationalbladet. Det allmänna samtalsämnet mellan tidningens medarbetare denna förmiddag var det faktum, att Kaj Lidner hade skjutit sig i Hagaparken på själva julafton. Juldagens morgon hade man funnit hans översnöade lik på trappan till Ekotemplet.

Begravningen följde snart efter dödsfallet. Tidningens medarbetare voro mangrant närvarande, och dr Doncker höll ett litet tal vid graven.

*

På kvällen gick Arvid till Lydia. Han kom okallad denna gång. Men han tyckte att han måste se till henne.

Hon öppnade, blek.

– Å, att du kom ändå, sade hon. Jag har inte vågat be

dig. Jag var så rädd för ett nej.

De sutto på var sin stol framför den nedbrända brasan.
Hon stirrade med tårlösa ögon in i glöden.

Hon viskade:

– Var du på begravningen?

– Ja.

Det slog honom, att hon undvek att nämna den dödes
namn.

De tego länge. Så sade han, utan att se på henne:

– Det var alltså han.

Hon böjde tigande sitt huvud.

Hon var så blek och så liten, där hon satt hopkrupen.
Det var som om hon ville gömma sig och försvinna.

– Å, vad han gjorde rätt! viskade hon. Jag ville att jag
kunde göra som han.

Han tryckte hennes huvud intill sitt bröst och smekte
hennes hår och hennes kind:

– Lydia, viskade han, lilla Lydia – – –

Äntligen brast fördämningen för hennes tårar, och hon
snyftade stilla.

– Vad har jag gjort? snyftade hon. Å, han var ju så
snäll…

– Ja, ja. Men det finns många snälla gossar, och du kan
väl inte få leka med dem alla?

Hon borrade huvudet in mot hans bröst och grät och
grät.

V

"Närmare, Gud, till dig!"

Det kom en tid av stillhet och ro.

Det föll snö, mycket snö. Och den var välkommen för Arvid och Lydia. De hade kanske bägge en känsla av att det behövde falla mera snö än vanligt den vintern.

Och han hade en känsla av att hon äntligen hade fallit till ro; att hon inte längre "sökte". Hon var så *liten* den vintern. Och hon var hängiven och öm som aldrig förr. Han älskade henne mer än någonsin och trodde sig vara älskad; det föreföll åtskilligt mellan dem som gjorde denna illusion ursäktlig... Men han tänkte inte mer på att för hennes skull skiljas från sin hustru och upplösa sitt hem. Var gång hans tanke ville pröva sig fram i den riktningen, steg minnet av det som hänt upp igen – trots snön, som föll och föll... Han lät det vara som det var, han lät det gå som det gick.

Och aldrig någonsin lät hon med ett ord eller en antydning förstå, att hon tänkte sig en framtid som hans hustru.

Tvärtom.

– Jag gifter mig aldrig på nytt, hade hon sagt en dag, då de sutto vid hennes fönster i vinterskymningen. *En* gång är nog. Och mer än nog!

Och han vande sig så efter hand vid sitt underliga dubbelliv, som det nu en gång hade format sig.

Och vintern gick, och solen kom igen, och snön smälte, och det blev åter en vår.

* * *

En rosig vårskymningskväll gingo de vid varandras sida mellan gravarna på Nya kyrkogården. Lydia köpte en liten krans av gullvivor av en liten fattig gumma vid kyrkogårdsgrinden. Hon ville lägga den på Kaj Lidners grav. Men de kunde inte finna den i denna stora stad av gravar, så mycket tätare befolkad än de levandes lilla stad. I stället lade hon kransen på sin fars grav.

De talade om döda människor som de hade känt. Arvid kom att nämna Olof Levini.

– Jag fick en gång för många år sedan en bjudning till hans hem, sade han, och det förargar mig än i dag att jag var hindrad att komma just den gången. Ingen kunde vara finare och hänsynsfullare och mer otvunget kamratlig i sitt sätt mot oss underordnade murvlar än han. Och han var hemmastadd i nästan allting, utom i unionsfrågan. En gång sade han till mig: – Kan ni begripa vad det är norrbaggarna bråkar om? – Ja, svarade jag, de bråkar för att de ville ha första paragrafen i sin grundlag förverkligad. Första paragrafen i deras grundlag säger, att Norge skall vara "ett fritt och självständigt rike". Men nu är saken den, att den norska utrikespolitiken sköts av vår utrikesminister med ansvarighet bara inför vår riksdag. Och det kallas autonomi, inte suveränitet eller självständighet. Jag hoppas att vår utrikesminister gör det bästa han kan. Men det hjälper inte: vi svenskar skulle inte känna oss uppbyggda av att vår utrikespolitik sköttes av t.ex. Rysslands utrikesminister, inte ens om han skötte den som en liten guds ängel. – Nej, men är det verkligen så? sade han.

– Det påstås, sade Lydia, att hans död egentligen var självmord, och att den stod i sammanhang med någon olycklig kärlekshistoria. Vad tror du om det?

– Jag kände honom ju inte så nära, sade han. Men jag tror inte på det. Han var diktare. Jag har rätt mycket sysselsatt mig med att studera diktarens art och väsen, och jag har kommit till det resultatet, att man knappt i hela världslitteraturens historia kan uppdriva ett exempel på att en diktare – en verklig och betydlig diktare – har tagit livet av sig av olycklig kärlek. De ha andra resurser. De ha förmågan att utlösa sitt lidande i en diktcykel, en roman eller ett skådespel. Fallet "Werther" är typiskt. Då Goethe en gång i sin ungdom hade en trasslig kärleks-historia, skrev han en roman som slutade med hjältens självmord. Den romanen lär på sin tid ha förorsakat en hel liten självmordsepidemi, dock tyvärr inte bland diktarna! Jag vet inte vad salig Goethe kände därvid: troligast en stark känsla av triumf över att ha hjälpt till med att i en fart skaffa så många till livet odugliga ur världen! Men själv levde han lugnt vidare och blev hovråd och minister och förfärligt gammal och fick ett saligt och anständigt slut. Och Olof Levinis död var en ren olyckshändelse. Om han hade velat beröva sig livet skulle han inte som dödssätt ha valt att svälja ett glas gurgelvatten, som bara i sällsynta undantagsfall verkar som ett farligt gift. Han hade influensa och hög feber, och i feberyrsel och febertörst *drack* han gurgelvattnet. Och hans konstitution hade händelsevis "idiosynkrasi" mot just detta eljest rätt ofarliga gift. En annan människa skulle det inte ha bekommit något vidare.

Hon gick tigande vid hans sida i vårkvällens bleknande rosenskymning.

– Diktarna, fortsatte han, är ett särskilt folkslag, och jag råder dig att akta dig för dem! De äro ett starkt folkslag, fast de ofta ha svagheten som skyddande förklädnad. En diktare står för ett klubbslag, som skulle slå ihjäl en vanlig man. Han känner nog smärtan, men den bekommer honom ingenting nämnvärt, tvärtom: han omsätter den i ett verk, han tillgodogör sig den! Se på Strindberg. Det är inte det han upplevat, som är orsak till allt det sjuka, hemska och förvirrade i vad han skrivit. Så tycks han själv tro; men det är inte så. Det är tvärtom allt det sjuka, hemska och förvirrade i hans egen natur som är orsaken till att han måst uppleva och genomleva allt detta. Men vilken vanlig människa – vilken annan än en stor diktare – kunde något så när helskinnad gå igenom vad *han* gått igenom? Och inte bara helskinnad, men stärkt! Allt ont han genomlidit har *tjänat* honom – till stoff, till näring, till läkedom! Nästan till hälsa! Jag såg honom ute en morgon härom dagen, då jag var på väg till tidningen. Och jag kan inte påminna mig att jag nånsin har sett en man på nyss fyllda sexti år se så frisk och stark och glad ut som han.

Lydia gick vid hans sida med halvsänkta ögonlock. Vårkvällen bleknade och blånade omkring dem.

Hon sade:

– Du vill kanske ändå bra gärna vara diktare…

Han svarade:

– Jag vill vara människa och man. Och jag vill inte vara diktare, om jag kan slippa!

Hon gick med tankfullt böjt huvud.

– Men *om* du vore diktare – skulle du då kunna göra som Goethe och Strindberg och så många andra och mindre – göra "litteratur" av det som en gång har varit liv och verklighet och lycka och olycka för dig själv? Skulle du kunna det?

– Aldrig, svarade han.

Deras blickar möttes allvarsamt och fast.

Han tillade efter en stund:

– Jag tror för resten inte att det är möjligt ens för en diktare att göra litteratur av sin kärlek, så länge det ännu finns en gnista liv i den. Den måste nog vara död först, innan han kan balsamera den.

De gingo tysta vid varandras sida.

– Eftersom du inte ville vara diktare, sade hon så, vad

ville du då egentligen helst vara?

– Det törs jag inte tala om, sade han. Då skulle du skratta ut mig.

– Ånej, sade hon, det tror jag inte du behöver vara rädd för. Nå, vad är det nu du helst ville vara?

– Det är inte så lätt att säga det med ord, sade han. Jag tror att jag ville vara något som sannolikt inte finns. Jag ville vara "världssjälen". Ville vara den som vet och förstår allt.

Det skymde mer och mer. Lyktorna började tändas inne i staden.

* * *

Och åren gingo.

Abdul Hamid blev avsatt i Konstantinopel ungefär samtidigt med att djävulen fick dela hans öde på ett möte i Folkets hus i Stockholm, under sympatiskt instämmande av en del av prästerskapet. Arvids äldste svåger, Harald Randel, hörde till dem. Pastor Randel trodde på gud på så sätt att han betraktade honom som en vacker och uppbygglig folkloristisk föreställning, ur vilken människorna, även han själv, ännu kunde hämta mycken styrka och tröst. Djävulen däremot ansåg han hopplöst föråldrad. Dock sade han inte sådant från predikstolen; han hörde till de yngre, frisinnade präster som lyssnade till professor Vitalis Norströms råd: "Endast genom *tonens* omläggning kan man få mycket gammalt att helt vissna bort, som länge varit sin död värt"... Och sjahen av Persien abdikerade, och Rysslands tsar och tsarinna hälsade på hos Gustaf V i Stockholm, och en ungsocialist, som inte lyckades få tillfälle att skjuta på dem, sköt i förargelsen en svensk general i stället... Och människorna började flyga! Blériot flög över engelska kanalen!

Och i januari året därpå kom en förfärlig komet med en lång svans – Arvid och Lydia stodo en kväll på Observatoriekullen och kikade på den – och senare på året körde Portugal bort sin unga charmanta kung och blev republik, och det steg upp ett stort svart moln från Marocko, och stormakterna visade tänderna och morrade åt varandra, men ingen tordes bita först!

*

Arvid Stjärnblom hade de sista två tre åren på lediga stunder arbetat på en monografi över Chopin. Hösten 1910 blev den äntligen färdig och kom ut, med ett rikt och vackert illustrationsmaterial. Den slog an på musikpubliken och kom till och med ut i en andra upplaga.

– Vad vill du att jag skall skriva som dedikation? frågade han Lydia då han kom till henne med boken.

– Skriv vad du vill, sade hon. Men skriv med blyerts, så att jag kan sudda ut det om Ester kommer och vill låna den.

Då skrev han:

Lydia klinkar sin Chopäng
så, att hon förtjänar däng.

Han kunde skriva det, emedan de voro så goda vänner att hon till och med kunde tåla ett litet skämt – något mycket sällsynt hos kvinnor – och emedan hon i verkligheten spelade mycket vackert.

På kvällen samma dag voro de på Operan tillsammans. Det var "Carmen" med fru Claussen. De älskade bägge denna opera med en nästan fanatisk kärlek.

De sutto inte bredvid varandra – naturligtvis – ; hon hade sin plats snett framför hans. Och de talade inte vid varandra på teatern.

Efter teatern var han tvungen att gå till sin tidning. Men han följde henne först till hennes port. De blevo stående som så många gånger förr, i skuggan av den gamla klockstapeln. Det var en blåsig höstkväll. Månen ilade blek och sjuklig genom trasiga skyar. Det susade i trädens glesnade kronor.

De stodo tysta.

– Vid det här laget, sade han, blir den stackars don José hängd.

– *Blev* han hängd? frågade hon.

– Ja, i Mérimées novell blir han det...

Hon stod tankfull.

– Kan du förstå, sade hon, att en man kan döda en

kvinna därför att hon inte längre älskar honom?

Han svarade:

— Hon har ju brutit sönder hela hans fattiga liv. Hon hade gjort honom till desertör och bandit. Och det är för resten ett mycket fint drag, att han vid början av sista scenen mellan dem alls inte har någon tanke på att döda henne; det är inte för det han har kommit. Men hon driver honom till det; hon hånar honom och retar honom till det yttersta. Hon spottar honom i ansiktet med sin kärlek till en annan. Hon begagnar den till piska att slå honom över ögonen med. Och då måste han ju se rött! Och han är en enkel man av folket och ingen "diktare". Om han hade varit diktare, hade Carmen sluppit dö för hans kniv, och han själv hade sluppit bli hängd. Diktarna ha andra resurser. Andra ventiler och utlopp.

Och han tillade leende:

— En ung poet, mycket begåvad för resten, och en ung skådespelerska ha varit förlovade en tid, men det blev uppslaget härom dagen. Genast annonserade poeten den uppslagna förlovningen, dess orsaker och inre sammanhang, i en dikt i Nationalbladet!

Lydia log:

— Ja, sade hon, jag läste den…

Han följde henne till hennes port, och de skildes med en lätt kyss.

*

261

Han stod kvar några minuter på kyrkogården för att få se ljus tändas i hennes fönster. Och det tändes, men det släcktes strax igen genom att hon rullade ner gardinen.

Hon hade äntligen skaffat sig rullgardiner.

I dessa tider, tänkte han, då människorna ha börjat flyga, behövs det verkligen rullgardiner till och med i femte våningen vid Johannes kyrkogård...

* *

Julen tillbragte Lydia detta år som gäst i sitt forna hem, för första gången efter skilsmässan.

"Här är allt sig likt", skrev hon i ett brev. "Som förr sitta domherrarna i de frostvita trädkvistarna utanför mitt gamla fönster. Som förr spelar jag litet för Markus efter middagen, i den halvmörka salongen. Och min lilla flicka har vuxit och blir visst riktigt söt. Och Markus är vänlig och fin mot mig, men talar inte mycket. Han har åldrats mycket på de sista åren" – – –

* * *

Och vintern gick och det blev åter en vår, och på försommaren tillät sig Arvid den lilla extravagansen att göra en liten ferieresa med Lydia till Köpenhamn och Lübeck. De åkte i karusell i Köpenhamns Tivoli. De sutto uppe på däcket under den ljusa sommarnattsresan med ångbåten till Lübeck. De logo på morgonen åt det lilla lustiga

Travemünde, och de sågo då och då en stork stå på ett ben och filosofera på någon av sandbankarna i Trave. De vandrade i skymningstimmarna genom Lübecks gamla krokiga gator, och de drucko rhenskt vin under gamla källarvalv från trettonhundratalet, och de gingo fram under den gamla dômens två lutande, ärggröna koppartorn, nästan litet rädda att få dem i huvudet – så starkt lutade de! Och de stodo och kysstes i en fönstersmyg i samma sal i Rådhuset, där en gång för snart fyra hundra år sedan den unge Gustav Eriksson pratade plattyska det bästa han kunde med Lübecks rådsherrar och också uppnådde vad han ville...

Hösten 1911 gav Arvid Stjärnblom åter ut en bok. Den hette "Stater och folk". Den kom i ett gynnsamt ögonblick. Den handlade om svenska nationens utrikespolitiska ställning och utsikter och resurser för den närmaste tiden. Det fanns i denna bok tankar, som han historiskt måste leda tillbaka till gymnasiståren i Karlstad och som dock ännu höllo färgen. Och det fanns andra tankar där, av senare datum. Men svenska nationen hade just vid denna tid gripits av en orosblandad tanke på sin framtid. Och boken kom under loppet av några veckor ut i tre upplagor.

Han följdes i det hela taget detta år av en framgång i sina företag, som väckte häpnad och en smula oro hos honom. Han frågade stundom sig själv: är jag alltså en falskspelare, eftersom allting lyckas så bra för mig?

Han hade med ens blivit ett "namn". Inte något stort namn; men en penna med en intelligens som man räknade med.

Och han smorde på ett par veckor ihop en nyårsrevy och fick den antagen av den största teaterdirektören i staden och landet, och på nyårsdagen gick den av stapeln på Gustavsteatern. Framgången var sådan att till och med kritiken rycktes med. Visserligen föll det inte Arvid Stjärnblom in att tillskriva sig själv den väsentliga andelen därav; den tillkom alldeles avgjort Ture Törne, den utomordentlige unge farsskådespelaren och kuplettsångaren; hans oemotståndligt smittande humör och vackra röst gjorde utan tvivel det mesta. Gamla habitués från åttiotalet jämförde honom med Sigge Wulff och satte honom till och med högre. Men man tillskrev också revyn i och för sig en viss originalitet, som kanske mest berodde på att dess författare, i olikhet med sina konkurrenter i branschen, inte hade gjort någon studieresa till Berlin. Till gengäld hade han lånat ett par uppslag från Atens Emil Norlander, Aristofanes. Men det märkte ingen.

*

Lydia hade också detta år tillbragt julen i sitt forna hem. Men hon gjorde denna gång vistelsen där kort och var tillbaka i Stockholm redan på nyårsdagen, så att hon kunde dela premiärens spänning och glädjen över framgången med Arvid. De sutto i en förgallrad avantscen. Dagmar satt på parkett med sina bröder Hugo och Harald och deras hustrur.

Och Harald Randel, prästen, lyckönskade honom ett par dagar senare, när de händelsevis möttes på Jakobs torg, till att ha skrivit en nyårsrevy utan några smaklösa oanständigheter. Arvid Stjärnblom måste därav draga den slutsatsen, att de oanständigheter som funnos i hans revy voro i pastor Randels smak.

* *

Ett stycke fram i januari, då det hade visat sig att framgången var stor och pålitlig, gav Arvid Stjärnblom en liten supé i Operakällarens entresolvåning för Ture Törne och en fem, sex andra av de komedianter och damer som medverkade i revyn. Ture Törne sjöng Bellman – Arvid ackompanjerade honom vid pianot – och han sjöng Emil Sjögren och allt möjligt, och han var oemotståndlig. Och han tog Arvid avsides och sade:

– Det är ett helvete, det liv jag för! Jag spottar på mitt yrke! Jag avskyr att spela teater! Jag vill inte vara komediant! Jag vill *skriva* teater, jag vill vara diktare! Och jag skall bli det! Du skall få se – du skall få se!

Ture Törne var tjugufyra år.

Arvid Stjärnblom hade för någon månad sedan fyllt trettiosju. Och han svarade:

– Käre vän, du tycks lida under ungdomens vanliga förbannelse, som Henrik Rissler för resten har skildrat i en av sina böcker: den att man inte törs visa sitt verkliga ansikte, så länge man är ung. Att man måste gömma sig bakom en skylt. Och du är för resten en sångare och komediant av guds nåde; men du vill alltså hellre vara diktare. Tror du verkligen på allvar att det är så mycket finare?

* * *

Sent en natt i slutet av februari kom Arvid Stjärnblom hem från sin nattjänst på tidningen. Han fann till sin förvåning Dagmar ännu uppe och fullt påklädd. Hon gick av och an över salsgolvet och svarade inte på hans hälsning.

– Hur är det? frågade han. Är du sjuk?

– Du har ett brev där, svarade hon och pekade på bordet.

Det var ett slutet kortbrev. Han såg strax att det var från Lydia. Han rev av kanten och läste den enda korta raden: "Jag kan inte i morgon. – Lydia."

Han stod med den lilla lappen i handen, förvånad och litet osäker. Det var en överenskommelse mellan honom och Lydia, som hon dittills alltid hade hållit, att hon aldrig skulle sända av något brev, adresserat till hans hem, på en sådan tid att det kunde komma fram på eftermiddagen eller kvällen, då han i regeln inte var hemma.

– Nå? sade Dagmar. Vem är Lydia? Och vad är det hon inte kan i morgon?

– Du har alltså läst det?

– Ja. Det var inte så svårt. Jag höll upp det mot en ljuslåga: Jag undrar vilken hustru som inte hade gjort det i mitt ställe!

Hon stod med högburet huvud och armarna korslagda över bröstet, i en tragisk attityd. Hon hade i sin första ungdom svärmat för teatern och tagit lektioner för en berömd tragédienne.

De stodo länge tigande. Salsklockans tickande var det enda ljud som hördes.

– Ja, sade han till sist, då vet du ju alltså hur det är.

– Och du inbillar dig kanske, sade hon med ett leende, som skulle uttrycka hån och förakt, att jag tänker hålla till godo med att du har en älskarinna?

– Nej, lilla Dagmar, sade han, jag har inte ett ögonblick tänkt eller önskat att du skall hålla till godo med det, nu sedan du vet det. Jag önskar tvärtom innerligt, att du inte vill hålla till godo med det, utan söka skilsmässa så snart som möjligt. Jag skall göra allt vad jag kan för att underlätta det för dig.

Hennes hånleende bleknade och var borta innan han hunnit tala ut.

– Skilsmässa? sade hon. Vad menar du? Inte har jag talat om skilsmässa...

– Lilla Dagmar, sade han. Du har visst ännu inte riktigt förstått hur det är. Jag tycker om en annan...

Hon hörde inte på honom.

– Skilsmässa, sade hon, varför skulle jag begära skilsmässa? Du har varit mig otrogen, och det är fult nog av dig. Men det är väl inte värre än att det kan förlåtas. Karlarna är nu en gång karlar.

– Jag är rädd för att det inte kan förlåtas i det här fallet, sade han. Förlåtelse förutsätter ånger och bättring. Och jag kan varken lova det ena eller det andra.

Hon såg på honom förvirrad, osäker. Plötsligt sjönk hon ihop. Hon kastade sig i soffan och borrade huvudet i en kudde och snyftade. Det var ingen pose längre och ingen teater. Det var bara en stackars kvinna som pinades och led, och en man som pinades av hennes lidande.

Han satte sig på soffkanten och strök henne över håret.

– Inte gråta så, sade han, lilla Dagmar, inte gråta så! Så mycket gråt är jag inte värd. Jag kan inte be dig om förlåtelse i den mening du tar det. Men ändå ber jag dig om förlåtelse för att jag har gjort dig ont. Vi ha kanske bägge något att förlåta varandra, innan vi nu skall skiljas åt.

Hon satte sig upp:

– Hur menar du? Har du hört något om mig?

– Nej, inte alls. Jag tänker på det där med vår "hemliga förlovning". Du visste ju mycket väl, att jag alls inte ville gifta mig. Du narrade mig in i äktenskapet mot min vilja. Och ett äktenskap som börjar på det viset måste väl alltid bli litet skröpligt. Och nu står vi vid slutet. Och nu skall vi förlåta varandra våra synder och sedan skiljas som vänner.

Hon stirrade skräckslagen ut i rummet.

– Du får inte tala så hemskt, sade hon. Skiljas – varför skulle vi skiljas? Varför kan det inte få vara som hittills? Och vem är egentligen den där Lydia?

– Hur skulle det kunna vara som hittills? Sedan du nu vet hur det är, *är* det ju inte längre som hittills. Du sade ju själv att du inte kunde hålla till godo med att jag har en "älskarinna". Hur skulle det då kunna vara som hittills?

Hon grät och snyftade och grät.

– Å, herregud, stönade hon mellan snyftningarna, varför skulle jag hålla det där olycksaliga kortbrevet mot ljuset! Om jag inte hade gjort det hade ju allting varit som förut!

– Å, lilla Dagmar, sade han, du skall inte bry dig om att ångra det. Så här kunde det ju ändå inte ha fortgått i evighet. Allting måste ha ett slut. Vi ha bägge narrat varandra, och nu kan vi inte leva tillsammans längre. Och nu är det sent på natten, klockan är snart fyra, och vi är bägge så utpinade och trötta. Nu säger vi god natt åt varandra och försöker sova, så gott vi kan. Det är en dag i morgon också. God natt!

Han ville gå in till sig. Men hon höll honom fast.

– Säg mig bara en sak först, sade hon, vem är den där Lydia?

– Lilla Dagmar, sade han, hur kan du föreställa dig att jag skulle svara dig något på det?

– Å, sade hon, tror du inte jag vet vem hon är? Det är naturligtvis en av de där teaterslinkorna som spela med i din nyårsrevy. Det är fru Carnell!

En fru Carnell, som hade en liten biroll i hans revy, hette händelsevis Lydia i förnamn. Hon var närmare femtio år och ingen skönhet ens för sin ålder.

Han brast ofrivilligt i skratt.

Men Dagmar var orubblig i sin fixa idé.

– Tror du inte jag hör hur tillgjort ditt skratt låter! sade hon. Men jag *vet* att det är hon. Och du kan hälsa henne från mig och be henne akta sig!

Han såg plötsligt för sig ett långt perspektiv av trakasserier och obehag för den åtminstone i detta fall fullkomligt oskyldiga fru Carnell. Och han sade:

– Lilla Dagmar, det är alldeles förgäves att du försöker gissa. "Lydia" är bara den signatur som hon begagnar då hon skriver till mig, i verkligheten har hon ett helt annat namn.

Dagmar lät inte dupera sig av denna improvisation.

– Jag är inte så dum som du tror, sade hon. Och jag *vet* att det är hon.

Hon bet sig fast i denna fixa idé, emedan den tillfredsställde ett omedvetet begär hos henne att föreställa sig "Lydia" som en person som i alla avseenden, socialt, moraliskt och kroppsligt, stod djupt under henne själv.

Han sade:

– Det är långt lidet på natten. Kan vi inte nu säga varandra god natt och sedan fortsätta debatten i morgon?

– Jag skall inte hindra dig från att sova, sade hon, om du *kan* sova! God natt!

Och hon gick in till sig.

Han gick in i sitt rum och klädde av sig långsamt, medan han lyssnade till alla ljud i våningen och på gatan. Han hörde sin hustru gå i tamburen och köket. Han hörde vattenledningen vridas upp och igen. Han hörde en natt-kärra skramla på gatan.

Något hopp om att få sova hade han inte den natten.

Han hade lagt sig och legat vaken en kvart eller kanske en halvtimme, då han hörde ett sakta krafsande på dör-ren.

Han lyssnade och teg. Dörren var stängd med nyckel.

Det krafsade på nytt på dörren. Och då han inte sade något, hörde han Dagmars röst, svag och bedjande:

– Å, Arvid – lilla Arvid! Öppna för mig! Jag kan inte sova. Jag är så rädd.

Han teg.

– Å, lilla Arvid, bry dig inte om om jag har sagt något dumt! Förlåt mig! Jag är så rädd att vara ensam! Låt mig komma in!

Han höll andan och teg.

– Å, Arvid, jag vet inte vad jag gör! Jag tar livet av våra små flickor och mig själv! Jag sätter eld på huset!

Han måste släppa in henne.

* *

Efter denna natt sov han inte mera i sitt hem.

Oftast tillbragte han natten på en soffa i sitt rum på tidningen. Ibland tog han ett rum på ett hotell för att få sova ut.

* * *

Han hade i ett brev underrättat Lydia om det som skett och om hur han nu hade det. Och hon hade svarat. Hon var ledsen över att den fattiga lilla raden hon sänt honom hade gjort så mycket förtret. Och hon kunde inte förstå det. "Av det lilla du sagt mig om din hustru hade jag det intrycket att hon var en kvinna som lika litet som jag själv skulle kunna falla på att titta i en annans brev." Och hon skrev vidare : "Jag har min lilla flicka hos mig på besök; hon skall stanna här ett par veckor. Under tiden kan vi ju inte tänka på att träffas. Och käre, jag vet inte hur det kan bli sedan heller. Ju mer min lilla flicka växer upp, ju mer känner jag hur rädd jag måste vara om mitt rykte för hennes skull. Och du har ditt, som binder dig. Låt oss se tiden an – låt tiden gå"…

Och han lät tiden gå, och den gick.

Dagmar tycktes ha lugnat sig efter den första upphetsningen. Eller rättare, hon hade ändrat taktik. Hon gick omkring ödmjuk, stilla, resignerad, en bild av den uppoffrande makan. Och då hon på detta sätt hade lyckats avlocka honom ett löfte att på försök tillbringa en natt i hemmet, lämnade hon honom i fred den natten. Men redan nästa kväll, då han kom hem sent från tidningen, återupprepade hon med några variationer hela programmet från den första skräcknatten. Det slutade med att han vid fyratiden på morgonen klädde på sig och gick ut och drev kring gatorna, tills han vid femtiden fann ett öppet morgonkafé för kuskar och arbetsfolk. Där somnade han i ett hörn vid en flaska öl.

* *

Det var en solförmörkelse i mitten av april det året. Det var vid samma tid som dagspressen fylldes av telegram och skildringar från Titanics undergång.

Arvid stod på Djurgårdsbron och tittade på solen genom ett färgat glas. Men hans ögon blevo snart trötta, och det roade honom mera att se hur de förbigåendes skuggor allt mer tycktes utplånas och blekna och hur askgrått solljuset blev allt eftersom förmörkelsen skred fram.

– Nej, se Stjärnblom! Står du här och beundrar naturfenomenet?

Det var Ture Törne, den unge skådespelaren och sångaren, som han hade att tacka för sin stora succé med nyårsrevyn. Den gick ännu för fulla hus varje kväll – ännu i mitten av april.

– Ja…

– Kommer du ihåg, sade Törne, kommer du ihåg sist, på den lilla festen du gav för oss i Operans entresol – kommer du ihåg att jag lovade dig att jag skulle bli diktare?

– Nej... Jo, nu minns jag... Hur går det med det?

– Jag har skrivit en pjäs, svarade Törne. Det vill säga, ännu törs jag kanske inte kalla den mer än ett utkast. Får jag läsa den för dig en av dagarna?

– Gärna. Men var skulle det vara? Jag har litet svårt att ta emot hemma nu i dagarna – vårrengöring och så vidare... Kan du komma upp på tidningen till mig någon kväll och läsa upp den för mig?

– Det passar bra. Men den är som sagt inte riktigt färdig ännu.

– Nå, det brådskar ju heller inte...

Ture Törne såg på människorna som gingo förbi. Stjärnblom växlade just i förbigående en hälsning med Henrik Rissler. Rissler stannade inte långt ifrån dem och tittade på solen genom ett färgat glas.

– Presentera mig för honom, bad Törne.

Och efter gjord presentation sade han:

– Herr Rissler, jag är som ni kanske vet gycklare och komediant. Men jag har fått för mig att jag skall avancera i graderna, och nu har jag skrivit en pjäs. Får jag be er att få läsa upp den för er? Jag läser upp den för vännen Stjärnblom om en vecka eller så, på Nationalbladets redaktion. Det skulle vara mig en stor glädje om ni ville komma med. Jag fäster en alldeles särskild vikt vid ert omdöme.

– För all del, svarade Rissler. Men om det är menat som en artighet så betackar jag mig. Ju större geni en författare är, desto mindre är hans omdömesförmåga om vad andra skriver. Det visar all erfarenhet. Jag kan alltså inte just känna mig smickrad av att ni sätter mitt omdöme så högt...

*

Solförmörkelsen hade passerat sin kulmen. Bland de många som gingo förbi var Lydia med fröken Ester. Men hon såg inte Arvid.

* *

Han åt för det mesta sina måltider ute numera.

En av de första dagarna i maj satt han vid ett fönsterbord på Anglais och såg ut över Stureplan. Han hade nyss ätit middag och satt vid kaffet och cigarren.

Han hade fattat ett beslut. Han skulle skriva till Lydia och bedja henne att resa med honom. Och antingen hon sade ja eller nej, skulle han själv i varje fall resa. Att övertala Dagmar till skilsmässa var fruktlöst. Sedan hon visste att han älskade en annan, hade hon gripits av en hatblandad lidelse för den man, som hon så länge hade betraktat som sin rättfångna och självklara egendom. – Nej, det stod honom ingen annan utväg öppen än att resa sin väg.

Det rann honom i minnet en liten rad, som Lydia

en gång hade skrivit till honom i ett brev: "Vi två hör tillsammans."

Ja. Så var det. Det måste vara så.

Han hade ätit middag sent; klockan var halv nio. Det seglade en gullig rosensky över den ljusa, litet gråblandade majkvällshimlen.

*

Han gick till tidningen.

En av tamburpojkarna anmälde, att herr Ture Törne hade ringt upp och frågat efter honom.

Ture Törne. – Ja visst, det var väl fråga om den där teaterpjäsen han hade skrivit. Han hade ju givit sig tusan på att han skulle bli diktare.

Han tog en bunt telegram och ögnade på dem förströdd.

– Hur är det med Strindberg? frågade han en av de yngre medarbetarna, som kom in för att låna en fransk tidning.

– Det lider visst mot slutet...

Det ringde i telefon. Det var Törne. Han frågade om han kunde komma nu och läsa upp sin pjäs.

– Välkommen, svarade Stjärnblom.

En stund efter stod Henrik Rissler i dörren:

– Är herr Ture Törne här? frågade han. Han ringde upp

mig i förmiddags och gav sig ingen ro förrän han fick mig
att lova att komma hit och höra på hans pjäs.

– Han kommer strax. Sitt ner så länge.

Rissler slog sig ner.

– Jag hoppas pjäsen är dålig, sade han. Konkurrenter
har man gudi nog av. Men jag vill minnas att det finns
en liten krog här i våningen inunder. Tillåter du mig
kanske att skicka en av tamburpojkarna efter litet visky
och sodavatten?

– Var så god…

Viskyn kom upp, och strax efter kom Törne.

– Sätt dig här i min stol, sade Stjärnblom, där ser du
bäst.

Törne satte sig och bredde ut sina papper på bordet
under den gröna lampan. Arvid satte sig i ena soffhörnet,
Rissler satt redan i det andra.

– I ert eget intresse, herr Törne, sade Rissler, föreslår
jag att vi tar en grogg innan ni börjar. Då blir kritiken
”genast lite gladare”.

De skålade. Och Törne började läsningen.

Det var ett utkast snarare än ett färdigt skådespel. Men
han kompletterade då och då det, som var färdigskrivet,
med några upplysningar om de scener som ännu voro
oskrivna.

Arvid lyssnade i början halvt förströdd. Men så små-
ningom greps han av en underlig känsla. En tryckande
beklämning. En dov ångest. Av handlingen och scen-
gången i stycket fick han blott ett svagt och förvirrat

intryck. Men det var annat han fäste sig vid. Och han frågade sig själv: drömmer jag eller är jag vaken? Och han strök sig över ögonen med handen – den var iskall – medan Törne läste vidare, scen efter scen.

Stycket handlade om en ung fru – Laura von Stiler hette hon – som är gift med en gammal man, en historiker och filosof med ett stort namn och mycket rik. Han ägde ett slott i Västmanland, och där försiggick första akten. Men hon älskar honom inte. Hon älskar en ung officer, som emellertid avskyr sitt mordiska yrke och känner det som sitt verkliga kall att bli diktare... Hennes far uppträder också. Han är en målare med världsrykte, vars tavlor fylla en hel vägg i Luxembourg... Han är styckets resonnör.

– Jag hade tänkt mig, avbröt Törne sig själv, att jag skulle försöka få Fredriksson att spela rollen.

– Det kommer han säkert att göra med förtjusning, sade Henrik Rissler.

Och Törne läste vidare.

Arvid satt hopsjunken i ett soffhörn. Han uppfattade då och då en detalj som förekom honom välbekant, en replik som han tyckte sig känna igen... "LAURA (till mannen): Vill du veta sanningen? – MANNEN (överlägset): Jag bryr mig inte om att veta den. Sanningen är skadlig. Det är illusioner och villfarelser som ha varit drivkrafterna till allt stort i världen"... Och en scen mellan Laura och den unge mannen som hon älskar: "Jag vet det nu, Artur – nu, när det kanske är för sent – vi två hör

tillsammans!"... Han uppfattade också att Laura hade
två bröder; den ena var hovrättsråd och representerade
i stycket den inskränkta, borgerliga moralen; den andra
kommer i sista akten hem från Amerika med en stor
förmögenhet och löser konflikten...

*

Törne hade slutat läsningen. Det blev en liten tystnad.

Henrik Rissler bröt den:

– Ja, herr Törne, sade han, nog förefaller det mig som
om ni har talang. Men vad skall man egentligen kunna
säga om en teaterpjäs som inte är färdig? Det som ni nyss
har läst upp för oss är ju egentligen bara ett utkast.

– Ja visst, sade Törne, det sade jag ju också från början;
men vad tycker ni om själva konflikten?

– Tja... En konflikt som kan lösas med pengar... Nog
för att det finns gott om sådana konflikter i livet. Men det
är inte så lätt att avvinna dem något intresse från scenen.
Och om jag ytterligare skulle våga en anmärkning så
vore det den, att er fru Laura förefaller litet overklig, litet
konstruerad... Man tror inte riktigt på henne. Men nu
måste jag för resten gå, jag skall bort. Tack för uppläs-
ningen, och adjö!

Rissler gick.

Ture Törne mätte golvet med långa steg.

– Idiot! mumlade han mellan tänderna. Overklig! "Konstruerad!" Det kan han vara själv! Och då är sanningen den, att jag har gjort henne direkt efter levande modell! – Men låt det stanna mellan oss, fortfor han vänd till Stjärnblom. Och fråga mig inte vad hon heter. Man förråder inte en dam!

– Nej, sade Stjärnblom, man gör inte det. Och jag har inte heller tänkt fråga vad hon heter.

Törne tillade, liksom i distraktion:

– Jag har stått i förhållande till henne i ett halvt års tid. Nu är det för resten så gott som slut. Men vi gör kanske en liten resa i Norge i sommar.

Arvid Stjärnblom satt med handen över ögonen, det var som om ljuset plågade honom:

– Så, sade han, är det redan så gott som slut...

– Ja, vet du vad, bror, sade Ture Törne, man skall akta sig för att bli fast! Man måste väl åtminstone leva en liten smula först! Och för resten är hon i verkligheten en fem, sex år äldre än i pjäsen... Men hur är det med dig, du ser dålig ut? Gaska opp dig, gamle gosse! Skål!

– Ja, svarade Stjärnblom, jag mår verkligen inte riktigt bra. Men det går väl över.

– Ja, god natt då...

*

– – – "Man måste väl leva en liten smula först" – – –
"Man skall akta sig för att bli fast" – – –

Ett minne steg upp för honom, ett skuggminne, ett spökminne. Han såg sig själv. Sig själv med studentmössa – en sommarnatt, i en båt – en gång för länge, länge sedan – – –

* * *

Nästa morgon vid tiotiden ringde han på Lydias dörr. Hon öppnade och lät honom komma in.

– Så du ser ut, sade hon. Hur är det? Har det hänt dig något?

Han var orakad och glåmig. Han hade vandrat omkring på gatorna under längsta delen av natten.

– Åja, sade han. På sätt och vis.

Hon bad honom sätta sig.

– Hur är det? sade hon. Vad är det som har hänt?

Han satt länge med huvudet i händerna och teg.

– Men vad är det, Arvid? Kan du inte tala?

– Jag skall försöka, sade han. Jag har av en händelse fått höra, att du tänker göra en liten resa i Norge i sommar.

Hon stod som förstenad. Det kom så överraskande för henne att hon alls inte kom sig för att neka.

– Vem har du hört det av? frågade hon.

– Finns det mer än en som jag kan ha fått höra det av?

Hon stod tyst och förvirrad. Äntligen sade hon:

– Å, Arvid, gör nu pinan kort! Berätta mig vad det är som har hänt!

Han berättade det för henne. Och han tillade, då han kom till slutet:

– Jag vill inte påstå, att jag kände igen *dig* i hans Laura. Det finns väl inte två människor, som se en tredje alldeles med samma ögon. Men jag kände igen hela den yttre ramen om dig och ditt liv.

Hon gick av och an med händerna på ryggen och huvudet sänkt. De långa ögonhåren skuggade över blicken.

– Sade han verkligen, att han har "stått i förhållande" till mig i ett halvt år?

– Han nämnde inte ditt namn. Han är en diskret ung man.

– Jag känner verkligen herr Ture Törne, sade hon så. Och jag vet inte varför jag inte har talat om det för dig förr. Men jag har inte stått i något "förhållande" till honom.

Arvid försökte ett småleende:

– I så fall, sade han, bör Ture Törne verkligen kunna bli en riktig tusan till diktare med tiden, om han får hållas...

Hon trädde tätt intill honom och såg honom djupt i ögonen.

– Arvid, sade hon, tror du mig inte?

Han undvek hennes blick, som om han därmed tyckte sig liksom rädda henne från att svära falskt...

– Jo, jo, sade han, naturligtvis tror jag dig...

Han fann situationen kräva att han trodde henne. Det

hade blivit *för* pinsamt annars.

– Om jag nu skall säga dig hela sanningen, sade hon, så har vi verkligen kysst varandra en smula. Det är alltsammans. Och det har alltså blivit till en hel teaterpjäs för honom.

– Ja, sade han, det är som jag sa nyss: han blir en riktig tusan till diktare med tiden!

– Å, sade hon med en axelryckning, nu bryr vi oss inte om herr Ture Törne mera! Honom kan man ju inte ta allvarsamt; man kan inte en gång bli ond på honom. Men du ser så trött och förstörd ut, Arvid. Lägg dig här på soffan och vila dig. Om du vill kan jag spela litet för dig.

Han låg med halvslutna ögon. Hon spelade adagiot ur "Pathétique".

Han tog mekaniskt en bok som låg uppslagen på bordet. Det var Strindbergs "Stora landsvägen", och den var uppslagen vid det ställe där diktaren låter ett par immiga glasögon vittna om en man, "som gråtit mycket, men i hemlighet".

Hon hade slutat spela. Hon kom fram till honom och lade sin svala hand på hans panna.

– Vad du är het, sade hon.

– Satt du och läste det här när jag kom? frågade han.

– Ja. Jag såg i tidningen att han ligger döende. Och då tog jag ner den här boken från hyllan. Jag håller så mycket av just det där stället.

– Ja, det är också vackert. Men egentligen kan man ju inte säga att det just har varit så särskilt utmärkande för Strindberg att gråta i hemlighet. Han har tvärtom en mansålder igenom skrikit och jämrat sig ovanligt högt och offentligt. Och det lättar väl alltid något. Det lättar nog betydligt.

Han reste sig:

– Och nu, sade han, får jag väl säga dig adjö.

– Arvid, sade hon. Du har väl själv förstått att det inte längre kan vara som det har varit mellan oss. Men om du ännu bryr dig något om mig, och om du inte vill mista mig, då… Ja, du får du gå igenom hela den långa historien med skilsmässa och nytt giftermål och alltsammans. Som hittills kan det inte gå längre.

Han stod mållös. Det var första gången på alla dessa år hon talade om giftermål.

Äntligen kunde han svara.

– Lilla Lydia. Jag skall resa härifrån om kort tid, och jag blir mycket länge borta. Och i går, när jag satt på Anglais efter min ensamma middag, var jag fullt och fast bestämd på att be dig följa mig – nu och alltid. Men det har ju fallit ner ett stycke av månen sedan dess. Och tycker du verkligen själv att det här ögonblicket är det rätta att tala om giftermål – efter det som jag fick uppleva i går afton?

Hon undvek hans blick. Han stod länge tyst.

– Nå, sade hon till sist liksom för sig själv – – – ja, då har jag ju intet att spara mig för – – –

Han tyckte sig minnas som i en dröm att hon hade sagt dessa samma ord en gång förr – någon gång för många år sedan…

– När reser du? frågade hon.

– Om en vecka eller så.

– Så… Ja, adjö då…

– Adjö.

* * *

Några dagar senare låg det ett brev från Lydia på hans skrivbord på tidningen.

Arvid. Glöm det som jag sade sist – det om skils-
mässa och giftermål. Jag var ju så förvirrad efter det
du hade berättat för mig, jag visste knappt vad jag
sade.

För min skull må du gärna behålla din hustru. Jag
har gjort mitt val.

Jag älskar honom – har aldrig älskat så!

Lydia.

Han knycklade hop brevet och gick ut och kastade det
i toaletten.

Från ett öppet fönster snett över gatan hördes en gram-
mofon. Den spelade "Närmare, Gud, till dig".

* * *

Arvid Stjärnblom hade äntligen fått några dagars ro i sitt hem... Han hade skrivit till sin svåger, kyrkoherde Randel – Harald Randel hade sedan ett par år ett pastorat ett par mil norr om Stockholm – och bett honom att bjuda Dagmar och flickorna hem till sig för några dagar. Han fick vänligt svar, och han lyckades verkligen förmå Dagmar att fara. Han begagnade denna frist för att ordna det nödvändiga före sin resa. Han sade upp våningen. Han avtalade med Doncker att bli tidningens resekorrespondent. Han avtalade med en jurist bland sina bekanta att sköta hans skilsmässa, i händelse Dagmar skulle kunna övertalas att gå in på den. Han hade inte en tanke på att fortsätta samlivet med henne; efter hans brytning med Lydia hade hon tvärtom blivit honom ännu outhärdligare än förut. Och han skaffade sig ett respass från utrikesdepartementet. Och han packade. Utom sina kläder och toalettartiklar tog han bara med sig några få böcker.

Det föll en blek strimma av eftermiddagssol över bokhyllan, där han stod och plockade fram en bok då och då och bläddrade i den. Kära gamla bekanta och goda vänner. Herregud, gamle Ernst Friedrich Richter... "Lehrbuch der Harmonie", Tjugonde upplagan, Leipzig 1894... Och Bellman och Lidner och Tegnér och Stagnelius, och Strindberg i långa rader... Och Olof Levinis sista diktcykel, som han hade varit så vänlig att ge honom... Det var året innan han dog... Och Henrik Rissler: "Ett ungdomsliv". Han bläddrade litet i den och stannade vid ett ställe mot slutet: – – – "Och kommer det en gång en riktig vårsol in i mitt liv, så ruttnar jag väl strax, av ovana vid klimatet." Ånej, min gode Rissler, tänkte han, det gör du nog inte. Du är nog av starkare ras än så.

Han packade ned Bellman och Heine och en gammal fransk översättning av Plutark. "Buch der Lieder" lade han i den lilla handväskan. Det var så länge sen han läste i den. Han ville ha den till reselektyr. Bibeln tog han också med.

Han skulle resa med morgontåget dagen därpå. Han hade underrättat Lydia om det med en kort rad, för att hon inte skulle skriva flera brev till honom under hans gamla adress.

*

Han gick ut.

Och åter en gång, en sista gång, förde honom hans steg till Johannes kyrkogård. Och åter en gång stod han vid Georg Carl von Döbelns grav och stavade på de tre orden: Ära – Skyldighet – Vilja.

Och medan han stod så och stirrade på de tre stolta orden med den bleknade förgyllningen, steg det upp för hans minne tre rader av J. P. Jacobsen:

Glødende Nat!
– Viljer er Voks i din blöde Haand,
og Troskab Siv kun for din Aandes Pust…

Och han mindes Lydias sista brev: "Aldrig älskat så."
"Har aldrig älskat så."

Underbara ord, förtrollande ord, när de viskas i rätta stunden till den, som de gälla. Smutsiga ord, skamlösa ord, när de spottas ut i avskedets ögonblick efter den, som drar bort.

* *

Det återstod honom bara att taga farväl av Markel. Markel visste ännu inte ens att han skulle resa.

Han gick till "Dagens Post". I hörnet av Drottninggatan och Karduansmakaregatan växlade han en kort nick med Ture Törne.

Han träffade Markel på hans ämbetsrum på "Dagens Post".

– Så, du skall ut och resa, sade Markel, det gör du rätt i. Det är sannerligen inte för tidigt.

Han hade ett telegram i handen:

– Nu ha italienarna fått på huden igen i Tripolis, tycks det. Vi lever i en krigisk tidsålder, bror. "Ideligen krig och liderlighet, ingenting annat duger nu för tiden", säger Shakespeare. Och det passar fortfarande! Ja, adjö med dig, gosse! Vi träffas när vi råkas!

* * *

Han stod och köpte biljett vid biljettluckan. Då han hade
fått den och vände sig om, stod Lydia där. Det föreföll
honom i hastigheten som om hon var resklädd. Och
under någon miljondel av en sekund flög den vansinniga
tanken genom hans hjärna, att hon ville följa honom – nu
och alltid.

– Jag ville säga dig adjö, sade hon. Och jag ville ge dig
ett litet minne av mig.

Hon räckte honom ett litet paket.

– Det är bara en liten småsak, sade hon. En liten sak,
som du kanske har användning för ibland. Och då tänker
du kanske på mig.

– Tack, sade han. Och adjö!

Och han stoppade det lilla, lilla paketet i fickan och
gick ut på perrongen och upp på södra snälltåget.

*

Och tåget rullade och rullade – söderut.

Han satt hopsjunken i sitt kupéhörn. Då han gick
genom vagongens korridor, hade han ett ögonblick råkat
få se sig i en spegel. Och han tänkte:

Jag är trettiosju år. Och jag ser ut som om jag vore
femti.

Och han tänkte vidare:

Jag vill ändå gärna se, om det inte finns en *större* värld. En värld "utanför Verona". Jag tycker mig minnas, att jag en gång har haft en känsla av det... Men jag har kanske för länge varit instängd i Venusberget för att duga i den världen. Det är kanske för sent nu.

Och han tänkte:

Det var nu också en förfärlig mani hon hade: att alltid välja sina älskare just bland mina vänner och bekanta... Efter den där förfärliga hösten för fyra år sedan, då hon skrev till mig "jag har tillhört en annan man medan du var borta" litade jag blint på hennes uppriktighet. Men var det nu också bara uppriktighet? Var det inte snarare ett litet grymhetsbegär att se, hur jag skulle ta det? En liten grym nyfikenhet att se, hur mycket jag tålde av piskan?

Han ville skaka av sig alla dessa ohyggliga tankar, som han tyckte hade gnagt honom och frätt honom i hundra år. Han öppnade sin lilla resväska och tog fram "Buch der Lieder".

Han slog upp på måfå och läste:

In mein gar zu dunkles Leben
strahlte einst ein süsses Bild;
nun das süsse Bild erblichen,
bin ich gänzlich nachtumhüllt.

Wenn die Kinder sind im Dunkeln,
wird beklommen ihr Gemüt,
und um ihre Angst zu bannen,
singen sie ein lautes Lied.

Ich, ein tolles Kind, ich singe
jetzo in der Dunkelheit;
klingt das Lied auch nicht ergötzlich,
hat's mich doch von Angst befreit.

Ja, tänkte han, poeterna ha det bra. De kan alltid finna
tröst för nästan vad som helst. Om det så gäller ett helt
förött och förbränt och bortslarvat liv, så finna de tröst
också för det. De ha förmågan att ge uttryck åt sin olyckas
tröstlöshet, och just däri finna de sin tröst. Men vad skall
en vanlig fattig syndare ta sig till?

Så erinrade han sig med ens, att Lydia hade givit honom
en present vid avresan. Ett litet minne. Vad kunde det
vara?

Han fiskade upp det lilla paketet ur fickan och löste
upp det. Det var en liten pennkniv med pärlemorskaft.

Hon är åtminstone inte vidskeplig, tänkte han.

Ty det finns ett gammalt folkligt skrock, som han väl
mindes från sin barndom, att man aldrig skall ge bort en
kniv åt någon som man håller av eller sätter värde på. Det
föder fiendskap och hat.

Men han stoppade den lilla pennkniven i västfickan.

Och han tänkte:

Nu går hon kanske att möta honom på en Djurgårds-väg. Och solen skiner. Och hon stannar vid en krök av vägen och säger till honom, med blicken halvsänkt under de långa ögonfransarna: "För en stund sedan mötte jag honom som jag älskade förr. Och jag kunde alls inte förstå att jag en gång har älskat honom."

...Och tåget rullade...

Diskussionsfrågor:

1. Vad väcker romanens titel för tankar hos dig? Varför heter den som den gör?

2. Söderbergs roman har kallats "århundradets kärlekssaga". Varför?

3. Beskriv huvudkaraktärerna och vilken relation de har till varandra? Beskriv både inre och yttre egenskaper.

4. Jämför med persongestaltningen i filmen av Pernilla August. Vilka likheter och skillnader kan du hitta i gestaltningen av karaktärerna? Om du hittar skillnader, varför tror du att regissör och manusförfattare har valt att skildra karaktärerna på det sätt som de gör?

5. Utifrån vems perspektiv är historien berättad? Har författaren mer sympati med någon av karaktärerna?

6. Ge exempel på typiska stildrag i texten. Söderberg är ju känd för att att lämna mycket outtalat.

7. Filmen slutar med en solförmörkelse. Hur tolkar du den? Jämför med hur romanen slutar.

8. Vädret spelar i Hjalmar Söderbergs böcker en mycket stor roll. Ge några väderexempel ur boken och filmen. Varför har vädret en så stor betydelse tror du? Hur tolkar du det?

9. Jämför miljöbeskrivningen i bok respektive film? Tycker du att filmmakarna har lyckats förmedla samma stämning som du finner i romanen?

10. Romanens och filmens tema berör kärlek och otrohet. Hur betraktades otrohet på Söderbergs tid? Betraktades mäns och kvinnors otrohet lika? Stöd ditt resonemang med exempel ur romanen.

11. Vad har förändrats i synen på otrohet sedan början på 1900-talet? Tycker du att det är okej om din partner är otrogen? Varför/varför inte?

12. Är det mer acceptabelt för en kvinna att ha många sexpartners nuförtiden än på Hjalmar Söderbergs tid? Är det någon skillnad för tjejer och killar att ha haft många sexuella förbindelser? Utveckla ditt svar.

13. Vilka blir konsekvenserna av skilsmässan för Lydia? Hur blir hon uppfattad tror du?

14. Vilka konsekvenser får relationen med Lydia för Arvid?

15. Om man funderar kring romanens karaktärer som offer eller förövare – vem anser du är offer och vem är förövare? Finns det någon som är mer "skyldig" än någon annan för det som sker i romanen?

16. Sammanfattningsvis, ge exempel på hur Söderbergs roman har formats av förhållanden och idéströmningar i det dåtida samhället och hur den har påverkat samhällsutvecklingen.

Fördjupningsuppgifter:

1. Ta reda på fakta om Hjalmar Söderbergs liv. Kan du hitta belägg för att romanen *Den allvarsamma leken* bygger på händelser i hans eget liv? Motivera ditt svar.
2. Föreställ dig att du är någon av karaktärerna Arvid, Lydia eller Dagmar. Skriv några sidor ur den valda personens dagbok. Bygg gärna din berättelse på några specifika händelser ur romanen eller filmen.
3. Diskutera i smågrupper följande citat ur romanen:

"Man väljer lika litet sitt öde som man väljer sina för-äldrar eller sig själv: sin kroppsstyrka eller sin karaktär eller färgen på sina ögon eller vindlingarna i sin hjärna. Det förstår var och en. Men man väljer lika litet sin hustru eller sin älskarinna eller sina barn. Man får dem, och man har dem, och det händer att man mister dem. Men man väljer inte!"

"I fråga om en kvinnas älskare brukar man tillämpa australnegrernas aritmetik: man räknar bara till tre. Vad som är därutöver kallas 'många'."

"Hjärtat bultade och han kände att han blev blodröd. Han tog instinktsmässigt boken och höll den för ansiktet, men ögonen kunde inte låta bli att spana ut över kanten. Och inom en sekund hade han sett: Det var Lydia."

"Vad är lyckan? viskade hon. Det vet ingen, svarade han. Eller den är något som man tänker sig och som inte finns."

"Men naturen har förlänat människan med den lyckliga förmågan att glömma. Annars skulle hon inte stå ut med livet."

"Jag står inte ut med att leva i daglig förställning gentemot den kvinna som jag har lovat att älska i nöd och lust. /.../ Jag måste ha reda och klarhet i mitt liv, står inte ut med detta falska dubbelliv."

"Han stod förstenad med hennes brev i handen. Nej, det kunde ju inte vara sant. Det var ju rent omöjligt. Nej, jag drömmer. /.../ Plötsligt kände han att han mådde illa. Han knycklade ihop brevet i fickan, och det var nätt och jämnt att han hann genom korridoren ut i toalettrummet. Där kräktes han."

"Nästa afton klockan nio stod han på Johannes kyrkogård och såg upp mot hennes fönster. Det lyste svagt ljus. han gick upp de fyra trapporna och ringde på dörren. Ingen öppnade.
    Han ringde igen. Ingen öppnade dörren.
    Han ringde för tredje gången. Ingen öppnade.
    Han gick på en krog och söp förfärligt."

"Illusioner och villfarelser ha varit drivfjädern till allt stort som uträttats i världen och kärnan i allt vad människolycka heter."

Hjalmar Söderberg mellan kvinnorna.

Till vänster Märta Abenius (Hjalmar Söderbergs fru)
och till höger Maria von Platen (Söderbergs älskarinna)

Användbara länkar:

Om Hjalmar Söderbergs liv och äktenskap:
https://sv.wikipedia.org/wiki/Hjalmar_Söderberg
http://litteraturbanken.se/#!/forfattare/SoderbergH/
presentation
http://www.svd.se/reviderar-bilden-av-soderberg
http://www.aftonbladet.se/kultur/ceciliasbocker/
article19583001.ab
http://www.expressen.se/noje/hjalmar-soderberg-
lurade-alla/

Radioprogram om Hjalmar Söderberg:
http://sverigesradio.se/sida/
avsnitt/393111?programid=4453

Fler frågor på romanen:
http://lattlast.se/media/1861448/den%20allvarsam-
ma%20lekten%20-%20funderingsfrågor,%20diskus-
sion,%20skriv-%20och%20fördjupningsuppgifter.pdf

Bloggar om romanen:
http://sandrabeijer.se/2013/05/01/och-kommer-det-en-
gang-en-riktig-varsol-in-i-mitt-liv-sa-ruttnar-jag-val-
strax-av-ovana-vid-klimatet/

http://sandrabeijer.se/2015/11/19/sandra-beijers-bok-klubb/

http://bokcirkelflickorna.blogspot.se/2011/08/tankar-kring-den-allvarsamma-leken.html

Recensioner av romanen:
http://www.dn.se/dnbok/motsatsernas-skona-polemik/

http://www.sydsvenskan.se/2012-03-25/en-langvarig-karlekshistoria

Pernilla August tankar om filmen

Jag har själv längtat efter att se en riktig kärlekshistoria på vita duken. Och gärna en historia från sekelskiftet. När jag läste *Den Allvarsamma leken* kände jag omedelbart att den här historien bär på något allmänmänskligt, den skulle lika gärna kunna utspela sig idag, i vår tid, trots att den är skriven för så länge sedan. Det är väl det som gör den till en klassiker.

För mig handlar den om drömmen och längtan efter den stora kärleken, om Lydia och Arvid som säger Nej när vi vill att de skulle sagt Ja. Om att ta beslut med hjärnan istället för med hjärtat.

Boken ställer frågor om hur vi gör våra livsval, jag tänker på de existentiella livsvalen som vi gör beroende på socialt arv, socialt mönster, ekonomi och drömmar. För mig handlar *Den Allvarsamma leken* om kärlek som aldrig blev, om drömmen om kärleken. Kärleken som aldrig blev har en tendens att bita sig fast eftersom den aldrig får möjlighet att genomlevas. Den blir en sorts snuttefilt i livet.

Den handlar också om Lydia och Arvid som längtar efter varandra och om deras längtan att förlösa varandra så mycket att de nästan förgör varandra. Om deras längtan efter friheten. Alla dessa ämnen är för mig lika relevanta idag som för 100 år sedan.

När vi nu gör film på denna vackra historia hoppas och önskar jag att det är något vi alla kan känna igen oss i. De flesta av oss har nog varit i både Lydias, Arvid och Dagmars kläder.

Vi har lämnat, blivit lämnade och fortsatt att drömma om kärleken som aldrig blev.

Min vision med filmatiseringen är att använda sekelskiftet som en fond. Även naturen är en stark medspelare i *Den allvarsamma leken*, och den har jag också velat få in i min tolkning.

Årstidsväxlingar som följer Lydia och Arvid i olika känslostormar och i olika beslut som de ska ta sig igenom blir väldigt dramatiskt och filmiskt effektfullt. Naturen och staden hjälper till i deras kamp att försöka få varandra och att försöka komma ifrån varandra.